TALES
AND
TRADITIONS

TALES AND TRADITIONS

Readings in Chinese Literature Series

新编中文课外阅读丛书

Volume 4   EXCERPTS FROM CLASSIC CHINESE NOVELS

名篇节选

ACTFL Level: Advanced Low to Advanced Mid

SECOND EDITION

YUN XIAO   HUI XIAO   JIJUN YU   YING ZHANG

萧云   肖慧   喻继军   张莹

CHENG & TSUI

"Bringing Asia to the World"™

CHENG & TSUI

"Bringing Asia to the World"™

Copyright © 2017, 2010 by
Cheng & Tsui Company, Inc.

Second Edition 2017

First Edition 2010

22 21 20   3 4 5

ISBN 978-1-62291-118-9 [Second Edition]

The Library of Congress has catalogued the
first edition as:

Xiao, Yun.

   Tales & traditions : for advanced students /
   Yun Xiao ... [et. al].

   p. cm. — (Readings in Chinese literature series
   = [Xin bian Zhong wen ke wai yue
   du cong shu] ; vol. 4)

   Chinese and English.

   Includes index.

   ISBN 978-0-88727-681-1 (pbk.)

   1. Chinese language—Textbooks for foreign
   speakers—English. 2. Fables, Chinese—
   Adaptations. I. Xiao, Yun. II. Title: Tales and
   traditions. III. Series.

PL1129.E5T32 2008

495.1'86421—dc22

                                    2008062320

Printed in the United States of America

Publisher
JILL CHENG

Editorial Manager
BEN SHRAGGE

Editors
RANDY TELFER with LIJIE QIN
and MIKE YONG

Creative Director
CHRISTIAN SABOGAL

Interior Design
LIZ YATES

Illustrator
KATE PAPADAKI

Cover Design
ALLISON FROST

Cover Image
© BELKAG - SHUTTERSTOCK

Cheng & Tsui Company, Inc.
Phone 1-617-988-2400 / 1-800-554-1963
Fax (617) 426-3669
25 West Street
Boston, MA 02111-1213 USA
chengtsui.co

CONTENTS
目录
目錄

PREFACE TO THE SECOND EDITION

Although a number of comprehensive Chinese textbooks are currently available in the United States, interesting and informative pleasure-reading materials specifically designed for Chinese learners are scarce at all levels. Learners and instructors of Chinese as a foreign language have longed for such materials, and since the AP® Chinese Language and Culture exam was first offered in 2007, the need for quality readings that familiarize students with expressions essential to understanding Chinese culture has become greater than ever.

Tales and Traditions 《新编中文课外阅读丛书》/《新編中文課外閱讀叢書》 was created to meet the need for supplementary reading materials for Chinese language learners. Research on foreign language acquisition has shown that extensive pleasure reading with level-appropriate books and materials is essential to attaining fluency in a foreign language. Pleasure reading not only improves students' reading skills, speed, and language proficiency, but also leads them to lifelong fluency and enjoyment of reading in the target language. This series includes stories and poems from the Chinese literary canon that are critical for cultural competence: sayings from classical philosophers, folktales, legends, excerpts from great works of literature, and more.

Volume 4 is designed for students at ACTFL's Advanced Low and Advanced Mid levels of study. An adapted excerpt from a well-known work of Chinese literature is featured in each of the four units that comprise this volume. Unit 1 presents excerpts from Lu Xun's *The True Story of Ah Q* (《阿Q正传》/《阿Q正傳》). As the first literary work to have been written in vernacular Chinese, excerpts from *The True Story of Ah Q* serve as a point of entry to Chinese literature. Unit 2 features excerpts from Li Ruzhen's *Flowers in the Mirror* (《镜花缘》/《鏡花緣》), originally written in classical Chinese, based on an abridged version known as *Overseas Travels* (《海外奇游记》/《海外奇遊記》). Unit 3 introduces readers to the beginning of the classical Chinese novel *Journey to the West* (《西游记》/《西遊记》) by Wu Cheng'en, and Unit 4 presents excerpts from Shi Nai'an's *Water Margin* (《水浒传》/《水滸傳》), a classic originally written in vernacular Chinese. These excerpts have been adapted into modern Chinese to be accessible to students without any previous exposure to literary or classical Chinese, and can serve as a bridge to reading the texts in their original forms. Students and teachers should feel comfortable reading the selections in any order; note, however, that new words are only glossed on their first occurrence.

Each reading in *Tales and Traditions* has a vocabulary list and provocative post-text questions. The texts can be used either by students on their own or by teachers for individual student reading and/or instructor-facilitated classroom reading. Using the discussion questions, teachers can engage students through comprehension checks, cross-cultural comparisons, and real-life reflections. Students may also enjoy acting out the stories (see the "Teaching Note" at the end of this preface for more information). The texts have been designed to be easy for teachers to use and to help students gain literacy and familiarity with texts and topics at the heart of Chinese culture. With this focus on reading comprehension and cultural knowledge, *Tales and Traditions* is an excellent companion for students who are preparing for the AP® Chinese Language and Culture exam and other standardized tests.

Students can review and look up unfamiliar words by using each volume's comprehensive index of vocabulary words, arranged in alphabetical order by *pinyin*. Personal names that appear in the stories are underlined for easy recognition and identification.

About the *Tales and Traditions* Series

The four volumes that comprise this series of graded readers are each tailored to a particular level of student: by ACTFL levels, Volumes 1, 2, 3, and 4 are appropriate for Intermediate Low or Intermediate Mid, Intermediate Mid or Intermediate High, Intermediate High or Advanced Low, and Advanced Low or Advanced Mid students, respectively. The texts in the series, drawn from a variety of genres and accompanied by illustrations, span the universe of Chinese literature: myths, legends, classical and popular short stories, fables, poems from the Tang dynasty, satirical and amusing essays and stories, and extracts from well-known novels are all featured.

Vocabulary words, forms of usage, idioms, expressions, sentence patterns, and phrases have been selected according to frequency of use and expository requirements. Students should focus on reading for comprehension rather than being able to recognize each and every character, though *pinyin* texts are included in the Appendix of Volume 1 for students' reference.

To adapt the stories and compile vocabulary lists, we used three sources: *Xiandai Hanyu Pinlü Cidian* (现代汉语频率词典 / 現代漢語頻率詞典) (1986), *Hanyu Shuiping Dengji Biaozhun he Dengji Dagang* (汉语水平等级标准和等级大纲 / 漢語水平等級標準和等級大綱) (1988), and the *Far East 3000 Chinese Character Dictionary* (远东汉字三千字典 / 遠東漢字三千字典) (2003). Words and phrases used in the series were selected based on the difficulty levels A, B, and C (甲、乙、丙) in *Hanyu Shuiping Dengji Biaozhun he Dengji Dagang*. The stories gradually increase in length with increasing level, from one hundred and fifty to one thousand characters per story for Volumes 1 and 2, and from five hundred to two thousand characters per story for Volumes 3 and 4. The readings in Volumes 1 and 2 are largely composed of the one thousand five hundred most frequently used words listed in *Xiandai Hanyu Pinlü Cidian*, whereas those in Volumes 3 and 4 are drawn from the three thousand five hundred most frequently used words.

As globalization, multiculturalism, and multilingualism change the way people interact with one another around the globe, attaining high-level Chinese language proficiency has become crucial for those who seek to gain a competitive advantage in academia, business, and other areas. We hope this series of readings will help students become not only fluent readers and speakers of Chinese, but global citizens with a multicultural perspective.

What's New in the Second Edition?

Discussion questions in the new edition of *Tales and Traditions* have been revised to better prepare students for the reading comprehension questions on the AP® Exam in Chinese Language and Culture. With a new layout, the text is now easier to read. Background information on historical figures has been added where relevant.

TEACHING NOTE

For teachers and students using this book as supplementary reading for Chinese courses, we have provided questions to stimulate class discussion of the stories in both Chinese and English. Students can also be asked to retell stories in their own words when class time allows. For extra speaking practice, students may enjoy acting out the stories in small groups. Each group can select a story, write lines of dialogue, and assign roles. A special day or two can be set aside at midterm or the end of the semester for performances.

ABBREVIATIONS OF PARTS OF SPEECH

ABBREVIATION	PART OF SPEECH
adj.	Adjective
adv.	Adverb
av.	Auxiliary verb
conj.	Conjunction
expr.	Expression
mw.	Measure word
n.	Noun
np.	Noun phrase
on.	Onomatopoeic word
part.	Particle
pn.	Proper noun
v.	Verb
vc.	Verb plus complement
vo.	Verb plus object

I

The True Story of Ah Q

《阿Q正传》
《阿Q正傳》

Excerpts from *The True Story of Ah Q*

《阿Q正传》节选改编
《阿Q正傳》節選改編

Lǔ Xùn (1881–1936)

鲁迅
魯迅

One of the greatest Chinese writers of the twentieth century, Lu Xun is considered the founder of modern Chinese literature. Born in Shaoxing, Zhejiang Province, Lu Xun wrote short stories and argumentative essays, in addition to working as an editor and translator. One of his most famous works, *The True Story of Ah Q* (《阿Q正传》 / 《阿Q正傳》) (*Ā Q Zhèngzhuàn*) is acclaimed as a masterpiece of modern Chinese literature, and is considered the first literary work to have been written completely in vernacular Chinese.

The novella follows the story of Ah Q, a flawed, uneducated peasant that Lu Xun created as a caricature of his time. Lu Xun believed he was living in an era of numbness, foolishness, and bullying, characterized by the phrase 大鱼吃小鱼 / 大魚吃小魚: "the bigger fish eat the smaller fish." Even as Ah Q is victimized, oppressed, and exploited by those with more wealth and power, he victimizes anyone he sees as inferior. He convinces himself that he is spiritually superior to his oppressors, even as he succumbs to their tyranny, and believes himself the victor even when he loses fights.

As a caustic satire, the story is reflective of Chinese intellectuals' disillusionment with China's 1911 Revolution, which overthrew the last imperial dynasty in Chinese history but did not fundamentally change the country's underlying social structure. Ah Q, a poor peasant at the bottom of the social strata, does not understand the meaning of the revolution and is victimized. The ignorance of the masses, in Lu Xun's view, was one of the most significant reasons for China's continued failure at social reform. In this harsh portrait of Ah Q and his fellow villagers, Lu Xun sought to critique the material and spiritual poverty that he believed had taken hold among people in his time.

1

The True Story of Ah Q (Part 1)

《阿Q正传》（上）
《阿Q正傳》（上）

阿Q的"精神胜利法"
阿Q的"精神勝利法"

清朝末年，在中国南方一个叫未庄的地方，住着一个叫阿Q的人。他怎么会有这么一个奇怪的名字呢？这话说起来就长了。未庄没人知道他姓什么，叫什么。有一天，赵太爷的儿子中了秀才，正好阿Q喝醉了，就说他自己也姓赵，还是这个赵秀才的长辈呢！第二天，赵太爷很生气地对阿Q说："阿Q，你胡说！你敢姓赵么？"阿Q吓得不说话。赵太爷更加生气了，打了他一个耳光，说："你怎么会姓赵！你哪里配姓赵！"所以，这以后阿Q都不敢再说他姓赵，也就没有人知道他到底姓什么了。他的名字好像是阿Quei，可是也没有一个人知道是阿桂还是阿贵，所以我们只好叫他阿Q了。

大家不但不知道阿Q的姓名，而且对他的过去也一无所知。而阿Q自己也不说，只是和别人吵架的时候，他会说："我以前比你有钱多了！你算是什么东西！"

清朝末年，在中國南方一個叫未莊的地方，住著一個叫阿Q的人。他怎麼會有這麼一個奇怪的名字呢？這話說起來就長了。未莊沒人知道他姓什麼，叫什麼。有一天，趙太爺的兒子中了秀才，正好阿Q喝醉了，就說他自己也姓趙，還是這個趙秀才的長輩呢！第二天，趙太爺很生氣地對阿Q說：“阿Q，你胡說！你敢姓趙麼？”阿Q嚇得不說話。趙太爺更加生氣了，打了他一個耳光，說：“你怎麼會姓趙！你哪裡配姓趙！”所以，這以後阿Q都不敢再說他姓趙，也就沒有人知道他到底姓什麼了。他的名字好像是阿Quei，可是也沒有一個人知道是阿桂還是阿貴，所以我們只好叫他阿Q了。

　　大家不但不知道阿Q的姓名，而且對他的過去也一無所知。而阿Q自己也

可是，阿Q其实很穷，他没有钱，也没有家，住在未庄的土谷祠里；他也没有什么职业，只是当帮工，帮人家割麦、舂米、撑船。工作时间长的时候，他会允许住在临时主人的家里，可是工作一做完就得走了。有一次，有一个老头子夸奖他说："阿Q真能干！"阿Q听了，高兴极了。

可是，阿Q的身上还有一些缺点。比如说：他的头上长着几处癞疮疤。所以阿Q不让别人说"癞"以及一切近于"赖"的音，后来推而广之，"光"、"亮"、"灯"、"烛"都不让别人说了。别人说了，他就要发怒。

可是阿Q越是发怒，未庄的人就越是喜欢跟他开玩笑。一见面，他们就假装吃惊地说："亮起来了。"阿Q马上发怒，用眼睛瞪着他们。可是他们并不怕，还继续开他的玩笑。阿Q没有办法，只好另外想出报复的办法来，说："你还不配……"这时候，好像他头上长的是一种高尚的癞头疮，而不是平常的癞头疮了。可是别人还不放过他，还要和他打起来。阿Q常常打输。一打输，他就想：我刚才是被我儿子打了，现在的世道真不像样，儿子打老子……于是，他也就心满意足了。

不說，只是和別人吵架的時候，他會說：「我以前比你有錢多了！你算是什麼東西！」

可是，阿Q其實很窮，他沒有錢，也沒有家，住在未莊的土穀祠裡；他也沒有什麼職業，只是當幫工，幫人家割麥、舂米、撐船。工作時間長的時候，他會允許住在臨時主人的家裡，可是工作一做完就得走了。有一次，有一個老頭子誇獎他說：「阿Q真能幹！」阿Q聽了，高興極了。

可是，阿Q的身上還有一些缺點。比如說：他的頭上長著幾處癩瘡疤。所以阿Q不讓別人說「癩」以及一切近于「賴」的音，後來推而廣之，「光」、「亮」、「燈」、「燭」都不讓別人說了。別人說了，他就要發怒。

可是阿Q越是發怒，未莊的人就越是喜歡跟他開玩笑。一見面，他們就假裝吃驚地說：「亮起來了。」阿Q馬上發怒，用眼睛瞪著他們。可是他們並不怕，還繼續開他的玩笑。阿Q沒有辦法，只好另外想出報復的辦法來，說：「你還不配⋯⋯」這時候，好像他頭上長的是一種高尚的癩頭瘡，而不是平常的癩頭瘡了。可是

现在的世道真不像样

后来，大家知道了阿Q的"精神胜利法"，所以每次打他的时候，就先对他说："阿Q，这不是儿子打老子，是人打畜生。自己说：'人打畜生！'"

阿Q没有办法，只好说："打虫子，好不好？我是虫子，你还不放我走么？"

阿Q被别人打了，常常跑到酒店里喝几碗酒，就回土谷祠睡觉了。有钱的时候，他就去赌博，把钱输得精光。有一回赢了，却又被别人打了，钱也不见了，身上还很痛。阿Q很生气，就回家睡觉了。

別人還不放過他，還要和他打起來。阿Q常常打輸。一打輸，他就想：我剛才是被我兒子打了，現在的世道真不像樣，兒子打老子……于是，他也就心滿意足了。

後來，大家知道了阿Q的＂精神勝利法＂，所以每次打他的時候，就先對他說：＂阿Q，這不是兒子打老子，是人打畜生。自己說：＇人打畜生！＇＂

後來，大家知道了
阿Q的精神勝利法

阿Q沒有辦法，只好說：＂打蟲子，好不好？我是蟲子，你還不放我走麼？＂

阿Q被別人打了，常常跑到酒店裡喝幾碗酒，就回土穀祠睡覺了。有錢的時候，他就去賭博，把錢輸得精光。有一回贏了，卻又被別人打了，錢也不見了，身上還很痛。阿Q很生氣，就回家睡覺了。

Vocabulary List

	SIMPLIFIED CHARACTERS	TRADITIONAL CHARACTERS	PINYIN	PART OF SPEECH	ENGLISH DEFINITION
1	精神胜利法	精神勝利法	jīngshén shènglì fǎ	n.	method of self-deception
2	末年	末年	mònián	n.	the final years (of sth.)
3	未庄	未莊	Wèizhuāng	pn.	Wei village
4	中	中	zhòng	v.	to successfully pass an exam
5	秀才	秀才	xiùcai	n.	scholar who passed the county-level civil exam
6	喝醉	喝醉	hēzuì	vc.	to be drunk
7	长辈	長輩	zhǎngbèi	n.	older generation, elder
8	胡说	胡說	húshuō	v.	to talk nonsense
9	敢	敢	gǎn	v.	to dare
10	耳光	耳光	ěrguāng	n.	slap in the face
11	配	配	pèi	v.	to fit, to deserve

	SIMPLIFIED CHARACTERS	TRADITIONAL CHARACTERS	PINYIN	PART OF SPEECH	ENGLISH DEFINITION
12	到底	到底	dàodǐ	adv.	after all
13	一无所知	一無所知	yīwú suǒzhī	adj.	ignorant
14	吵架	吵架	chǎojià	vo.	to quarrel
15	算	算	suàn	v.	to regard as, to count
16	土谷祠	土穀祠	Tǔgǔ Cí	pn.	Tugu Temple
17	职业	職業	zhíyè	n.	occupation
18	帮工	幫工	bānggōng	n.	helper
19	割麦	割麥	gēmài	vo.	to harvest wheat
20	舂米	舂米	chōngmǐ	vo.	to husk rice with a mortar and pestle
21	撑船	撑船	chēngchuán	vo.	to pole a boat
22	允许	允許	yǔnxǔ	v.	to permit, to allow

	SIMPLIFIED CHARACTERS	TRADITIONAL CHARACTERS	PINYIN	PART OF SPEECH	ENGLISH DEFINITION
23	临时	臨時	línshí	adj.	temporary
24	夸奖	誇獎	kuājiǎng	v.	to praise
25	能干	能幹	nénggàn	adj.	capable
26	缺点	缺點	quēdiǎn	n.	shortcomings
27	处	處	chù	mw.	(measure word for places)
28	癞疮疤	癩瘡疤	làichuāngbā	n.	unpleasant skin disease, scar
29	赖	賴	lài	v.	to rely on
30	推而广之	推而廣之	tuī ér guǎng zhī	expr.	in the same way, likewise
31	烛	燭	zhú	n.	candle
32	假装	假裝	jiǎzhuāng	v.	to pretend, to feign
33	发怒	發怒	fānù	vo.	to get angry

34	瞪着	瞪著	dèngzhe	v.	to glare at
35	报复	報復	bàofù	v.	to retaliate
36	高尚的	高尚的	gāoshàng de	adj.	noble
37	放过	放過	fàngguò	vc.	to let go, to leave alone
38	世道	世道	shìdào	n.	manners and morals of the time
39	不像样	不像樣	bù xiàngyàng	adj.	indecent
40	老子	老子	lǎozi	n.	father
41	心满意足	心滿意足	xīnmǎn yìzú	expr.	to be content, satisfied
42	畜生	畜生	chùsheng	n.	domestic animal
43	赌博	賭博	dǔbó	v.	to gamble
44	精光	精光	jīngguāng	adj.	with nothing left

Questions

1. 阿Q是做什么工作的？他的名字是怎么来的？
   阿Q是做什麼工作的？他的名字是怎麼來的？

2. 阿Q的"精神胜利法"是什么？你觉得这是个好办法吗？为什么？
   阿Q的"精神勝利法"是什麼？你覺得這是個好辦法嗎？為什麼？

3. What hardships did Ah Q confront in his life? What is your opinion on the way he coped with these hardships?

4. What do you think the character Ah Q represents? What message do you think Lu Xun is trying to convey through his portrayal of this character?

2

The True Story of Ah Q (Part 2)

《阿Q正传》（中）

《阿Q正傳》（中）

阿Q的艳遇

阿Q的艷遇

春天来了。有一天，<u>阿Q</u>喝醉了，醉醺醺地在街上走，看到<u>钱太爷</u>的大儿子。<u>钱太爷</u>的大儿子去日本留学，回来以后把辫子剪掉了。<u>阿Q</u>看见他，就叫他"<u>假洋鬼子</u>"。<u>假洋鬼子</u>听到了，把<u>阿Q</u>打了一顿。<u>阿Q</u>觉得自己很倒霉，可是又没地方出气，正好这时对面走来了一个小尼姑。他想："难怪我今天这么倒霉，原来是因为你！"于是，他走过去找小尼姑出气，在她的脸上扭了一下。"你怎么动手动脚……"尼姑一面满脸通红地说着，一面赶快走。旁边的人都笑了，<u>阿Q</u>便得意起来，像个大英雄。

可是，这一次胜利的经历却使阿Q觉得有些异样。他回到土谷祠以后，晚上怎么也睡不着，似乎摸过小尼姑脸的手指上有一种异样的感觉。"女人，女人！……"他想。

春天來了。有一天，阿Q喝醉了，醉醺醺地在街上走，看到錢太爺的大兒子。錢太爺的大兒子去日本留學，回來以後把辮子剪掉了。阿Q看見他，就叫他"假洋鬼子"。假洋鬼子聽到了，把阿Q打了一頓。阿Q覺得自己很倒霉，可是又沒地方出氣，正好這時對面走來了一個小尼姑。他想："難怪我今天這麼倒霉，原來是因為你！"于是，他走過去找小尼姑出氣，在她的臉上扭了一下。"你怎麼動手動腳……"尼姑一面滿臉通紅地說著，一面趕快走。旁邊的人都笑了，阿Q便得意起來，像個大英雄。

可是，這一次勝利的經歷卻使阿Q覺得有些異樣。他回到土穀祠以後，晚上怎麼也睡不著，似乎摸過小尼姑臉的手指上有一種異樣的感覺。"女人，女人！……"他想。

第二天，阿Q在赵太爷家里舂米，工作了一整天。吃过晚饭，他坐在厨房里吸旱烟。吴妈是赵太爷家里唯一的女仆。她洗完了碗碟，也在长凳上坐下，和阿Q聊天。吴妈正在唠叨着，阿Q突然放下烟管，跪了下去，对她说："我要和你睡觉！"吴妈愣住了，然后大叫着往外跑，好像后来还哭了。

阿Q也愣了一会儿，然后慢慢地站起来，慌张地把烟管插在裤带上，就想去舂米。"蓬"的一声，他的头被重重地打了一下。他急忙转过身去，看见赵秀才拿了一根大竹杠站在他面前。阿Q赶快逃跑，可还是被打了好几下。

阿Q跑回土谷祠里，坐了一会儿，觉得冷了，可是他的外衣忘在赵家了，他又不敢去拿，怕再挨打。这时候地保进来了，说："阿Q！你连赵家的佣人都敢调戏，简直是造反。害得我晚上没有觉睡！"

地保教训了阿Q一顿，阿Q没有话说，还要给地保酒钱。可是阿Q没有现钱，便用一顶毡帽做抵押，并且被迫答应了下面五个条件：

第一、明天要用一对一斤重的红烛，到赵家去赔罪。

第二天，阿Q在趙太爺家裡舂米，工作了一整天。吃過晚飯，他坐在廚房裡吸旱烟。吳媽是趙太爺家裡唯一的女僕。她洗完了碗碟，也在長凳上坐下，和阿Q聊天。吳媽正在嘮叨著，阿Q突然放下烟管，跪了下去，對她說："我要和你睡覺！"吳媽愣住了，然後大叫著往外跑，好像後來還哭了。

阿Q也愣了一會兒，然後慢慢地站起來，慌張地把烟管插在褲帶上，就想去舂米。"蓬"的一聲，他的頭被重重地打了一下。他急忙轉過身去，看見趙秀才拿了一根大竹杠站在他面前。阿Q趕快逃跑，可還是被打了好幾下。

阿Q跑回土穀祠裡，坐了一會兒，覺得冷了，可是他的外衣忘在趙家了，他又不敢去拿，怕再挨打。這時候地保進來了，說："阿Q！你連趙家的傭人都敢調戲，簡直是造反。害得我晚上沒有覺睡！"

地保教訓了阿Q一頓，阿Q沒有話說，還要給地保酒錢。可是阿Q沒有現錢，便用一頂氈帽做抵押，並且被迫答應了下面五個條件：

第一、明天要用一對一斤重的紅燭，到趙家去賠罪。

第二、赵家请道士驱鬼，费用由阿Q负担。

第三、阿Q从此以后不准去赵家。

第四、吴妈以后如果有什么意外，阿Q要负责任。

第五、阿Q不准去赵家要工钱和他的外衣。

阿Q当然都答应了，可是他没有钱。好在已经是春天了，他就把棉被卖了，得了一点钱，按赵家的要求办了。

可是，从这以后，未庄的女人们只要看见阿Q，就一个个躲进门里去；而且酒店也不肯赊账给他了；连管土谷祠的老头子也叫他搬走；最糟糕的是很久都没有人来叫他做工了。有一天，阿Q又冷又饿，他只好出门去找东西吃。

阿Q没有现钱，
便用一顶毡帽做抵押

第二、趙家請道士驅鬼，費用由阿Q負擔。

第三、阿Q從此以後不准去趙家。

第四、吳媽以後如果有什麼意外，阿Q要負責任。

第五、阿Q不准去趙家要工錢和他的外衣。

趙家請道士驅鬼，費用由阿Q負擔

阿Q當然都答應了，可是他沒有錢。好在已經是春天了，他就把棉被賣了，得了一點錢，按趙家的要求辦了。

可是，從這以後，未莊的女人們只要看見阿Q，就一個個躲進門裡去；而且酒店也不肯賒賬給他了；連管土穀祠的老頭子也叫他搬走；最糟糕

他走了一会儿，就走出了未庄，看到了很多水田和耕田的农夫。阿Q继续往前走，终于走到静修庵的墙外了。

静修庵周围也是水田，后面的土墙很低，里面是菜园。阿Q迟疑了一会，四面看了看，没有看见人。他就爬上这矮墙，跳到里面去了。他一看，里面真是郁郁葱葱，但没有什么可吃的东西。

阿Q觉得很失望，慢慢地往园门走去，突然他惊喜地看到了一畦老萝卜。于是蹲下就拔起来，这时，一个老尼姑走了出来，说："阿Q，你怎么跳进园子里来偷萝卜！"

"我什么时候跳进你的园子里来偷萝卜？"阿Q边走边说。

"这不是吗？"老尼姑指着他衣服里的萝卜说。

"这是你的？你能叫得它答应你么？你……"

的是很久都沒有人來叫他做工了。有一天，阿Q又冷又餓，他只好出門去找東西吃。他走了一會兒，就走出了未莊，看到了很多水田和耕田的農夫。阿Q繼續往前走，終于走到靜修庵的墙外了。

靜修庵周圍也是水田，後面的土墙很低，裡面是菜園。阿Q遲疑了一會，四面看了看，沒有看見人。他就爬上這矮墙，跳到裡面去了。他一看，裡面真是鬱鬱葱葱，但沒有什麼可吃的東西。

阿Q覺得很失望，慢慢地往園門走去，突然他驚喜地看到了一畦老蘿蔔。于是蹲下就拔起來，這時，一個老尼姑走了出來，說："阿Q，你怎麼跳進園子裡來偷蘿蔔！"

"我什麼時候跳進你的園子裡來偷蘿蔔？"阿Q邊走邊說。

"這不是嗎？"老尼姑指著他衣服裡的蘿蔔說。

"這是你的？你能叫得它答應你麼？你……"

阿Q话没有说完，拔腿就跑。这时，一条又肥又大的黑狗紧紧追过来。这狗本来是在前门的，不知怎么跑到后面来了。黑狗大叫着追阿Q，快要咬到他的腿了，幸好从阿Q的衣服里掉下了一个萝卜，那狗吓得停了一下。阿Q飞快地爬上树，跨上土墙，连人和萝卜都滚出墙外了。只剩着那黑狗还在对着那棵树嗥叫，旁边老尼姑念着佛。

阿Q怕尼姑又放出黑狗来，赶快捡起萝卜就走，沿路又捡了几块石头，但黑狗却不再出现了。阿Q于是抛了石头，一面走一面吃萝卜。等到三个萝卜都吃完的时候，他已经打定了进城的主意了。

阿Q話沒有說完，拔腿就
跑。這時，一條又肥又大的黑狗
緊緊追過來。這狗本來是在前
門的，不知怎麼跑到後面來了。
黑狗大叫著追阿Q，快要咬到他
的腿了，幸好從阿Q的衣服裡掉
下了一個蘿蔔，那狗嚇得停了一
下。阿Q飛快地爬上樹，跨上土
墙，連人和蘿蔔都滾出墙外了。
只剩著那黑狗還在對著那棵樹嗥
叫，旁邊老尼姑念著佛。

　　阿Q怕尼姑又放出黑狗來，
趕快撿起蘿蔔就走，沿路又撿了
幾塊石頭，但黑狗卻不再出現
了。阿Q于是拋了石頭，一面走
一面吃蘿蔔。等到三個蘿蔔都吃
完的時候，他已經打定了進城的
主意了。

Vocabulary List

	SIMPLIFIED CHARACTERS	TRADITIONAL CHARACTERS	PINYIN	PART OF SPEECH	ENGLISH DEFINITION
1	艳遇	艷遇	yànyù	n.	romantic encounter
2	醉醺醺	醉醺醺	zuì xūnxūn	adj.	drunken
3	辫子	辮子	biànzi	n.	braids
4	剪掉	剪掉	jiǎndiào	vc.	to cut off
5	假洋鬼子	假洋鬼子	jiǎ yángguǐzi	n.	fake foreign devil
6	倒霉	倒霉	dǎoméi	adj.	unlucky, unfortunate
7	出气	出氣	chūqì	vo.	to vent one's anger
8	尼姑	尼姑	nígū	n.	nun
9	难怪	難怪	nánguài	adv.	no wonder
10	扭了一下	扭了一下	niǔ le yīxià	vc.	to give a pinch
11	动手动脚	動手動腳	dòngshǒu dòngjiǎo	expr.	to touch, to flirt
12	满脸通红	滿臉通紅	mǎnliǎn tōnghóng	adj.	blushing
13	得意	得意	déyì	v./adj.	(to be) pleased with oneself

	SIMPLIFIED CHARACTERS	TRADITIONAL CHARACTERS	PINYIN	PART OF SPEECH	ENGLISH DEFINITION
14	异样	異樣	yìyàng	adj.	weird
15	似乎	似乎	sìhū	v.	to seem
16	摸过	摸過	mōguò	vc.	to have touched
17	吸旱烟	吸旱烟	xī hànyān	vo.	to smoke tobacco
18	碗碟	碗碟	wǎndié	n.	bowls and plates
19	长凳	長凳	chángdèng	n.	long bench
20	唠叨	嘮叨	láodao	v.	to nag
21	烟管	烟管	yānguǎn	n.	pipe
22	愣住	愣住	lèngzhù	vc.	to be dumbfounded
23	慌张地	慌張地	huāngzhāng de	adv.	in a flurry
24	裤带	褲帶	kùdài	n.	belt
25	竹杠	竹杠	zhúgàng	n.	bamboo pole
26	地保	地保	dìbǎo	n.	village head
27	造反	造反	zàofǎn	v.	to rebel, to revolt
28	毡帽	氈帽	zhānmào	n.	fur hat

	SIMPLIFIED CHARACTERS	TRADITIONAL CHARACTERS	PINYIN	PART OF SPEECH	ENGLISH DEFINITION
29	抵押	抵押	dǐyā	v.	to pawn
30	赔罪	賠罪	péizuì	vo.	to apologize
31	请道士	請道士	qǐng Dàoshi	vo.	to call in a Daoist priest
32	驱鬼	驅鬼	qūguǐ	vo.	to chase away evil spirits
33	负担	負擔	fùdān	v.	to shoulder the costs
34	不准	不准	bùzhǔn	v.	to forbid
35	意外	意外	yìwài	n.	accident
36	躲进	躲進	duǒjìn	vc.	to hide in
37	赊账	賒賬	shēzhàng	vo.	to buy on credit
38	静修庵	靜修庵	Jìngxiū Ān	pn.	Jingxiu Convent
39	郁郁葱葱	鬱鬱葱葱	yùyù cōngcōng	adj.	green and fresh
40	畦	畦	qí	mw.	(measure word for land)
41	蹲下	蹲下	dūnxià	vc.	to squat down
42	拔起来	拔起來	bá qǐlái	vc.	to pull up
43	拔腿	拔腿	bátuǐ	vo.	to depart quickly

	SIMPLIFIED CHARACTERS	TRADITIONAL CHARACTERS	PINYIN	PART OF SPEECH	ENGLISH DEFINITION
44	跨上	跨上	*kuàshàng*	vc.	to step up
45	滚出	滾出	*gǔnchū*	vc.	to roll out
46	嗥叫	嗥叫	*háojiào*	v.	to bark, to howl
47	念佛	念佛	*niànfó*	vo.	to recite Buddhist prayers
48	捡起	撿起	*jiǎnqǐ*	vc.	to pick up
49	沿路	沿路	*yánlù*	adv.	along the road
50	打定	打定	*dǎdìng*	vc.	to make up (one's mind)

Questions

1. 阿Q有什么艳遇？结果是什么？
   阿Q有什麼艷遇？結果是什麼？

2. 阿Q去静修庵做什么？他是怎么离开的？
   阿Q去靜修庵做什麼？他是怎麼
   離開的？

3. What arguments did Ah Q make to defend his actions?
   Do you think these arguments are valid?

4. Can you identify parts of this story where the concept of
   "the bigger fish eating the smaller fish" (大鱼吃小鱼 / 大魚
   吃小魚) applies? Why do you think Lu Xun wanted to depict
   such relationships in his fiction?

3

The True Story of Ah Q (Part 3)

《阿Q正传》（下）

《阿Q正傳》（下）

阿Q要革命

阿Q要革命

未庄的人再看见<u>阿Q</u>的时候，是这年的中秋刚过了不久。人们都很惊讶，说<u>阿Q</u>回来了，可是阿Q这次回来，却与从前很不一样。天快黑的时候，他睡眼朦胧地在酒店门前出现了，走近柜台，从腰间伸出手来，满把是银的和铜的，往柜上一扔说，"现钱！打酒来！"<u>阿Q</u>穿的是新夹袄，看上去腰间还装了不少钱。所以堂倌、掌柜、酒客、路人，都对<u>阿Q</u>很恭敬。掌柜对他点点头，说："<u>阿Q</u>，你回来了！"

"回来了。"

"发财发财，你是在……"

"上城里去了！"

这条新闻，第二天便传遍了整个未庄。人人都想知道阿Q是怎么发财的，所以在酒店和茶馆里都纷纷打听。据<u>阿Q</u>说，他在城里的

未莊的人再看見阿Q的時候，是這年的中秋剛過了不久。人們都很驚訝，說阿Q回來了，可是阿Q這次回來，卻與從前很不一樣。天快黑的時候，他睡眼朦朧地在酒店門前出現了，走近櫃檯，從腰間伸出手來，滿把是銀的和銅的，往櫃上一扔說，"現錢！打酒來！"阿Q穿的是新夾襖，看上去腰間還裝了不少錢。所以堂倌、掌櫃、酒客、路人，都對阿Q很恭敬。掌櫃對他點點頭，說："阿Q，你回來了！"

"回來了。"

"發財發財，你是在……"

"上城裡去了！"

這條新聞，第二天便傳遍了整個未莊。人人都想知道阿Q是怎麼發財的，所以在酒店和茶館裡都紛紛打聽。據阿Q說，他在

时候，是在举人老爷家里做工。大家一听都肃然起敬了。这举人老爷本来姓白，但因为全城只有他一个举人，所以不用姓名，说起举人，大家就知道是他。这样，阿Q在未庄人眼里的地位，虽不敢说超过举人太爷，但也差不多了。

过了没多久，阿Q的大名又传遍了未庄的闺中。女人们见面时一定互相告诉说，阿Q那里有便宜的衣服卖，听说邹七嫂在他那里买了一条蓝绸裙，只花了九角钱。现在，她们见了阿Q不但不跑进家门，还要追着问他有没有便宜的衣服卖。后来连赵太太赵太爷也都听说了，因为赵太太正想买一件价廉物美的皮背心，于是要邹七嫂去叫阿Q来。

等了很久，阿Q终于跟着邹七嫂进来了。"太爷！"阿Q似笑非笑地叫了一声，在屋檐下站住了。"阿Q，听说你在外面发财了，"赵太爷说，"听说你有些旧东西卖，可以都拿来看一看。"

"我对邹七嫂说过了。都卖完了。"

"都卖完了？"赵太爷说，"怎么会这么快呢？"

"那是朋友的，本来就不多。现在只剩下一张门幕了。"

城裡的時候，是在舉人老爺家裡做工。大家一聽都肅然起敬了。這舉人老爺本來姓白，但因為全城只有他一個舉人，所以不用姓名，說起舉人，大家就知道是他。這樣，阿Q在未莊人眼裡的地位，雖不敢說超過舉人太爺，但也差不多了。

過了沒多久，阿Q的大名又傳遍了未莊的閨中。女人們見面時一定互相告訴說，阿Q那裡有便宜的衣服賣，聽說鄒七嫂在他那裡買了一條藍綢裙，只花了九角錢。現在，她們見了阿Q不但不跑進家門，還要追著問他有沒有便宜的衣服賣。後來連趙太太趙太爺也都聽說了，因為趙太太正想買一件價廉物美的皮背心，于是要鄒七嫂去叫阿Q來。

等了很久，阿Q終于跟著鄒七嫂進來了。"太爺！"阿Q似笑非笑地叫了一聲，在屋檐下站住了。"阿Q，聽說你在外面發財了，"趙太爺說，"聽說你有些舊東西賣，可以都拿來看一看。"

"我對鄒七嫂說過了。都賣完了。"

"都賣完了？"趙太爺說，"怎麼會這麼快呢？"

"就拿门幕来看看吧。"赵太太慌忙说。

阿Q虽然答应着，却懒洋洋地出去了，也不知道他是否放在心上。这使赵太爷很失望。

未庄的一些闲人们却还要寻根究底地去探底细。阿Q就自己把他的经验都说出来了。他们这才知道，他不过是一个小角色，不但不能上墙，而且也不能进洞，只能站在洞外接东西。有一夜，他刚刚接到一个包，伸手进去等着第二个，就听见里面大嚷起来，他赶紧跑，连夜跑出城，逃回未庄来了，从此再也不敢进城去了。

有一天的半夜，一只大乌篷船到了赵家的河埠头。听说那是举人老爷的船！船为什么到赵家来，赵家人本来是保密的。可是村上的人都说，革命党要进城了，举人老爷要到我们乡下来逃难了，把箱子寄存在赵家，就放在赵太太的床底下。

阿Q听说过革命党，又亲眼见过处死革命党，却不知道革命党让这百里闻名的举人老爷这么害怕，于是不免有些"神往"了。"革命也好吧，"阿Q想，"我，也要投靠革命党了。"

阿Q中午喝了两碗酒，有点醉了，不知怎么的，忽然觉得革命党就是自己，未庄人

"那是朋友的，本來就不多。現在只剩下一張門幕了。"

"就拿門幕來看看吧。"趙太太慌忙說。

阿Q雖然答應著，卻懶洋洋地出去了，也不知道他是否放在心上。這使趙太爺很失望。

未莊的一些閑人們卻還要尋根究底地去探底細。阿Q就自己把他的經驗都說出來了。他們這才知道，他不過是一個小角色，不但不能上墙，而且也不能進洞，只能站在洞外接東西。有一夜，他剛剛接到一個包，伸手進去等著第二個，就聽見裡面大嚷起來，他趕緊跑，連夜跑出城，逃回未莊來了，從此再也不敢進城去了。

有一天的半夜，一隻大烏篷船到了趙家的河埠頭。聽說那是舉人老爺的船！船為什麼到趙家來，趙家人本來是保密的。可是村上的人都說，革命黨要進城了，舉人老爺要到我們鄉下來逃難了，把箱子寄存在趙家，就放在趙太太的床底下。

阿Q聽說過革命黨，又親眼見過處死革命黨，卻不知道革命黨讓這百里聞名的舉人老爺這麼害怕，于是不免有些"神往"

TRADITIONAL 《阿Q正傳》（下）the true story of ah q (part 3) 37

都是他的俘虏。他得意洋洋，禁不住大声地嚷道："造反了！造反了！革命党来了！"未庄人都很害怕，个个看着他。阿Q就更加高兴了。

赵家的男人也正站在大门口谈论革命。"老Q，"赵太爷怯怯地喊阿Q。

阿Q从来没想到他的名字会和"老"字联系在一起，以为是和他没关系的一句话，就没有理会赵太爷。

"阿Q！"赵秀才只好叫他的名字了。

阿Q这才站住，歪着头问："什么事？"

"老Q，……现在……"赵太爷却又没有话说，"现在……发财么？"

"发财？自然。要什么就有什么……"

"阿……Q哥，像我们这样穷朋友是不要紧的吧？"他惴惴地说，好像想探革命党的口风。

"穷朋友？你总比我有钱。"阿Q说着走了。

赵家的人听了，都很慌张，大家都不敢说话。赵太爷父子回家，一直商量到天黑，而且把装钱的袋子交给他女人藏在箱底里。

了。「革命也好吧，」阿Q想，「我，也要投靠革命黨了。」

阿Q中午喝了兩碗酒，有點醉了，不知怎麼的，忽然覺得革命黨就是自己，未莊人都是他的俘虜。他得意洋洋，禁不住大聲地嚷道：「造反了！造反了！革命黨來了！」未莊人都很害怕，個個看著他。阿Q就更加高興了。

趙家的男人也正站在大門口談論革命。「老Q，」趙太爺怯怯地喊阿Q。

阿Q從來沒想到他的名字會和「老」字聯繫在一起，以為是和他沒關係的一句話，就沒有理會趙太爺。

「阿Q！」趙秀才只好叫他的名字了。

阿Q這才站住，歪著頭問：「什麼事？」

「老Q，……現在……」趙太爺卻又沒有話說，「現在……發財麼？」

「發財？自然。要什麼就有什麼……」

「阿……Q哥，像我們這樣窮朋友是不要緊的吧？」他惴惴地說，好像想探革命黨的口風。

阿Q回到土谷祠里，一个人在床上躺着，觉得说不出的高兴，他想：造反？有趣，元宝、洋钱、衣服……都先搬到土谷祠来，还有钱家的桌椅，或者也就用赵家的吧。自己是不用动手的了，叫小D来搬吧，他要搬得快，搬得不快就打他的嘴巴。

阿Q这样想着想着，就睡着了，还发出了鼾声。

第二天阿Q起得很晚，走到街上到处看看，样样都照旧。他也仍然饿着肚子。于是他慢慢地走到了静修庵。

静修庵和春天时一样安静，白的墙壁和漆黑的门。他想了一想，前去打门，听见一只狗在里面叫。他捡了几块石头，用力地打门，过了好一会儿，才听见有人来开门。

阿Q连忙拿好石头，摆开马步，准备和黑狗来开战。但庵门只开了一条缝，并没有黑狗从中冲出，望进去只有一个老尼姑。

"你又来干什么？"老尼姑大吃一惊地说。

"革命了！你知道吗？"阿Q说。

"革过了，你们还要革得我们怎么样呢？"老尼姑两眼通红地说。

“窮朋友？你總比我有錢。”阿Q說著走了。

趙家的人聽了，都很慌張，大家都不敢說話。趙太爺父子回家，一直商量到天黑，而且把裝錢的袋子交給他女人藏在箱底裡。

阿Q回到土穀祠裡，一個人在床上躺著，覺得說不出的高興，他想：造反？有趣，元寶、洋錢、衣服……都先搬到土穀祠來，還有錢家的桌椅，或者也就用趙家的吧。自己是不用動手的了，叫小D來搬吧，他要搬得快，搬得不快就打他的嘴巴。

阿Q這樣想著想著，就睡著了，還發出了鼾聲。

第二天阿Q起得很晚，走到街上到處看看，樣樣都照舊。他也仍然餓著肚子。于是他慢慢地走到了靜修庵。

靜修庵和春天時一樣安靜，白的墻壁和漆黑的門。他想了一想，前去打門，聽見一隻狗在裡面叫。他撿了幾塊石頭，用力地打門，過了好一會兒，才聽見有人來開門。

阿Q連忙拿好石頭，擺開馬步，準備和黑狗來開戰。但庵門只開了一條縫，並沒有黑狗從中沖出，望進去只有一個老尼姑。

"什么？"阿Q大吃一惊。

"你不知道吗？他们已经来革过了！"

"谁？"阿Q更加吃惊了。

"赵秀才和假洋鬼子！"

阿Q很意外，不由地一愣。老尼姑便飞快地关了门，阿Q再打门的时候，就没有回答了。

那还是上午的事。赵秀才消息灵，知道革命党已在夜间进城，便去找假洋鬼子，一起去革命。他们想了半天，才想出静修庵里有一块"皇帝万岁万万岁"的牌子，这是应该赶紧革掉的，于是就他们马上到庵里去见老尼姑，要拿掉那块牌子。因为老尼姑来阻挡，他们便把她打了一顿。

又过了几天，未庄的人听说革命党虽然进了城，但城里也还没有什么大的改变。知县大老爷还是原官，不过改了称呼，带兵的也还是先前的老把总。只有一件可怕的事——那就是革命党要大家剪辫子。所以未庄人吓得都不敢进城了。

不过，未庄也不能说是没有变化的。几天以后，把辫子盘在头顶上的人越来越多了，最先是赵秀才，然后便是别人，后来是阿Q。

“你又來幹什麼？”老尼姑大吃一驚地說。

“革命了！你知道嗎？”阿Q說。

“革過了，你們還要革得我們怎麼樣呢？”老尼姑兩眼通紅地說。

“什麼？”阿Q大吃一驚。

“你不知道嗎？他們已經來革過了！”

“誰？”阿Q更加吃驚了。

“趙秀才和假洋鬼子！”

阿Q很意外，不由地一愣。老尼姑便飛快地關了門，阿Q再打門的時候，就沒有回答了。

那還是上午的事。趙秀才消息靈，知道革命黨已在夜間進城，便去找假洋鬼子，一起去革命。他們想了半天，才想出靜修庵裡有一塊“皇帝萬歲萬萬歲”的牌子，這是應該趕緊革掉的，于是就他們馬上到庵裡去見老尼姑，要拿掉那塊牌子。因為老尼姑來阻擋，他們便把她打了一頓。

又過了幾天，未莊的人聽說革命黨雖然進了城，但城裡也還沒有什麼大的改變。知縣大老爺還是原官，不過改了

阿Q虽然也盘上了辫子，但还是觉得被冷落了。他想去找假洋鬼子，通过他和革命党联系。

钱家的大门正开着，阿Q便怯怯地走过去。假洋鬼子正站在院子的中间和人说话。

"唔，这个……"阿Q等他停下的时候，鼓足勇气开口了。

说话的人都吃惊地转过头来看他。假洋鬼子说："什么？"

"我……"

"出去！"

阿Q话还没说完就被赶了出去。他快跑了一阵，才慢慢地走着，心里便涌起了忧愁：假洋鬼子不准他革命，他所有的抱负、志向、希望、前程，全被一笔勾销了。

这一天，阿Q照例混到深夜，等酒店要关门了，才慢慢走回土谷祠去。突然，他听到一种异样的声音，又不像是爆竹。他正听着，突然间一个人从他对面逃过来了。阿Q一看，便赶紧转身也跟着逃。那人转弯，阿Q也

稱呼，帶兵的也還是先前的老把總。只有一件可怕的事——那就是革命黨要大家剪辮子。所以未莊人嚇得都不敢進城了。

不過，未莊也不能說是沒有變化的。幾天以後，把辮子盤在頭頂上的人越來越多了，最先是趙秀才，然後便是別人，後來是阿Q。

阿Q雖然也盤上了辮子，但還是覺得被冷落了。他想去找假洋鬼子，通過他和革命黨聯繫。

錢家的大門正開著，阿Q便怯怯地走過去。假洋鬼子正站在院子的中間和人說話。

"唔，這個……"阿Q等他停下的時候，鼓足勇氣開口了。

說話的人都吃驚地轉過頭來看他。假洋鬼子說："什麼？"

"我……"

"出去！"

阿Q話還沒說完就被趕了出去。他快跑了一陣，才慢慢地走著，心裡便涌起

转弯，那人站住，阿Q也站住，他很快看出来那人原来是同村的小D。

"出了什么事？"阿Q问。

"赵……赵家被抢了！"小D气喘吁吁地说。

赵家被抢的四天之后，阿Q在半夜里突然被抓进县城里去了。那时正好是黑夜，一队兵，一队警察，五个侦探，悄悄地到了未庄，围住土谷祠，正对门架好了机关枪。可是阿Q并没有冲出来。很久都没有动静，把总着急起来了，悬赏了二万元，才有两个兵爬墙进去，把阿Q从里面抓出来了。

进城时已经是正午了，阿Q被带进一所破衙门，转了五六个弯，便被推进一间小屋里。门关上了，阿Q仔细看看，发现屋里还有两个人。

阿Q虽然有些忐忑，却并不很苦闷，因为他在土谷祠里的卧室，也并不比这间屋子好。那两个好像也是乡下人，问阿Q为什么被抓进来，阿Q爽快地回答说："因为我想造反。"

了憂愁：假洋鬼子不准他革命，他所有
的抱負、志向、希望、前程，全被一筆
勾銷了。

這一天，阿Q照例混到深夜，等酒店
要關門了，才慢慢走回土穀祠去。突然，
他聽到一種異樣的聲音，又不像是爆竹。
他正聽著，突然間一個人從他對面逃過來
了。阿Q一看，便趕緊轉身也跟著逃。那
人轉彎，阿Q也轉彎，那人站住，阿Q也站
住，他很快看出來那人原來是同村的小D。

"出了什麼事？"阿Q問。

"趙⋯⋯趙家被搶了！"小D气喘吁吁地說。

趙家被搶的四天之後，阿Q在半夜裡
突然被抓進縣城裡去了。那時正好是黑
夜，一隊兵，一隊警察，五個偵探，悄悄
地到了未莊，圍住土穀祠，正對門架好了
機關槍。可是阿Q並沒有沖出來。很久都
沒有動靜，把總著急起來了，懸賞了二萬
元，才有兩個兵爬墻進去，把阿Q從裡面
抓出來了。

進城時已經是正午了，阿Q被帶進一
所破衙門，轉了五六個彎，便被推進一間
小屋裡。門關上了，阿Q仔細看看，發現
屋裡還有兩個人。

下半天，阿Q被抓到大堂上去了，上面坐着一个剃着光头的老头子。阿Q以为他是和尚，可是看见下面站着一排兵，两旁又站着十几个穿长衫的人，有的剃着光头，也有的把一尺来长的头发披在背后，像假洋鬼子一样，可是都是一脸的横肉，怒目而视地瞪着他。阿Q害怕了，不由得跪了下去。

"你从实招来，免得吃苦。我早都知道了。招了可以放你。"那光头的老头子看着阿Q说。

"我本来要……来投……"阿Q糊里糊涂地说。

"那为什么不来呢？"老头子和气地问。

"假洋鬼子不准！"

"胡说！此刻说，也迟了。现在你的同党在哪里？"

"什么？……"

"那一晚打劫赵家的那一伙人。"

"他们没有来叫我。他们自己搬走了。"阿Q生气地说。

"走到哪里去了呢？说出来便放了你。"老头子更加和气了。

阿Q雖然有些忐忑，卻並不很苦悶，因為他在土穀祠裡的臥室，也並不比這間屋子好。那兩個好像也是鄉下人，問阿Q為什麼被抓進來，阿Q爽快地回答說："因為我想造反。"

下半天，阿Q被抓到大堂上去了，上面坐著一個剃著光頭的老頭子。阿Q以為他是和尚，可是看見下面站著一排兵，兩旁又站著十幾個穿長衫的人，有的剃著光頭，也有的把一尺來長的頭髮披在背後，像假洋鬼子一樣，可是都是一臉的橫肉，怒目而視地瞪著他。阿Q害怕了，不由得跪了下去。

"你從實招來，免得吃苦。我早都知道了。招了可以放你。"那光頭的老頭子看著阿Q說。

"我本來要……來投……"阿Q糊裡糊塗地說。

"那為什麼不來呢？"老頭子和氣地問。

"假洋鬼子不准！"

"胡說！此刻說，也遲了。現在你的同黨在哪裡？"

"什麼？……"

"我不知道，他们没有来叫我……"

老头子使了一个眼色，阿Q便又被抓进栅栏门里了。他第二次被抓出栅栏门，已经是第二天的上午了。

大堂的情形跟昨天一样，上面仍然坐着光头的老头子，阿Q也仍然下了跪。

老头子和气地问，"你还有什么话说么？"

阿Q回答说，"没有。"

于是，一个穿长衫的人拿了一张纸和一支笔送到阿Q的面前。阿Q很吃惊：因为他从来没有拿过笔。他正不知道怎么办才好的时候，那个人又指着一个地方叫他画押。

"我……我……不认得字。"阿Q一把抓住了笔，惶恐而且惭愧地说。

"那你画一个圆圈吧！"

阿Q要画圆圈了，他的手捏着那支笔却只是抖。于是那人替他将纸铺

“那一晚打劫趙家的那一夥人。”

“他們沒有來叫我。他們自己搬走了。”阿Q生氣地說。

“走到哪里去了呢？說出來便放了你。”老頭子更加和氣了。

“我不知道，他們沒有來叫我……”

老頭子使了一個眼色，阿Q便又被抓進柵欄門裡了。他第二次被抓出柵欄門，已經是第二天的上午了。

大堂的情形跟昨天一樣，上面仍然坐著光頭的老頭子，阿Q也仍然下了跪。

老頭子和氣地問，“你還有什麼話說麼？”

阿Q回答說，“沒有。”

于是，一個穿長衫的人拿了一張紙和一支筆送到阿Q的面前。阿Q很吃驚：因為他從來沒有拿過筆。他正不知道怎麼辦才好的時候，那個人又指著一個地方叫他畫押。

“我……我……不認得字。”阿Q一把抓住了筆，惶恐而且慚愧地說。

“那你畫一個圓圈吧！”

在地上，阿Q伏下身去，使尽了平生的力气画圆圈。可是怎么画也画不圆。

那人却不计较，把纸笔收走了，阿Q又被抓回了栅栏门里的牢房。

阿Q第三次被抓出栅栏门的时候，大堂上面还照例地坐着那个光头老头子，阿Q也照例地跪了下去。

老头子很和气地问他，"你还有什么话要说么？"

阿Q想了想，没有话，就回答说，"没有。"

阿Q就被穿上了一件白背心，上面有些黑字。同时他的双手也被反绑了，被带出衙门外去了。

阿Q被抬上了一辆没有蓬的车。这车马上开动了，前面是一班兵，两旁是许多嘴巴张开着的看客，后面怎样，阿Q看不见。但他突然感觉到："这岂不是去杀头么？"

阿Q使尽了平生的力气画圆圈

可是怎麼畫
也畫不圓

阿Q要畫圓圈了，他的手捏著那支筆卻只是抖。于是那人替他將紙鋪在地上，阿Q伏下身去，使盡了平生的力氣畫圓圈。可是怎麼畫也畫不圓。

那人卻不計較，把紙筆收走了，阿Q又被抓回了柵欄門裡的牢房。

阿Q第三次被抓出柵欄門的時候，大堂上面還照例地坐著那個光頭老頭子，阿Q也照例地跪了下去。

老頭子很和氣地問他，"你還有什麼話要說麼？"

阿Q想了想，沒有話，就回答說，"沒有。"

阿Q就被穿上了一件白背心，上面有些黑字。

同時他的雙手也被反綁了，被帶出衙門外去了。

他急得两眼发黑，似乎发昏了。但是他还认得路，于是有些惊讶："怎么不往法场走呢？" 他并不知道这是在游街，在示众。

阿Q向左右看看，都是跟蚂蚁似的人，无意中，阿Q在路旁的人群里发现了吴妈。原来她在城里做工了。阿Q忽然很羞愧自己没志气，竟然没有唱几句戏。

阿Q就这样被枪毙了，未庄人都说是阿Q坏，因为被枪毙便是证据，不坏怎么会被枪毙呢？而城里人却不满足，他们觉得枪毙没有杀头好看，而且阿Q游了那么久的街，竟然没有唱一句戏，他们白跟一趟了。

阿Q被擡上了一輛沒有蓬的車。這車馬上開動了，前面是一班兵，兩旁是許多嘴巴張開著的看客，後面怎樣，阿Q看不見。但他突然感覺到："這豈不是去殺頭麼？"他急得兩眼發黑，似乎發昏了。但是他還認得路，于是有些驚訝："怎麼不往法場走呢？"他並不知道這是在遊街，在示眾。

阿Q向左右看看，都是跟螞蟻似的人，無意中，阿Q在路旁的人群裡發現了吳媽。原來她在城裡做工了。阿Q忽然很羞愧自己沒志氣，竟然沒有唱幾句戲。

阿Q就這樣被槍斃了，未莊人都說是阿Q壞，因為被槍斃便是證據，不壞怎麼會被槍斃呢？而城裡人卻不滿足，他們覺得槍斃沒有殺頭好看，而且阿Q遊了那麼久的街，竟然沒有唱一句戲，他們白跟一趟了。

Vocabulary List

	SIMPLIFIED CHARACTERS	TRADITIONAL CHARACTERS	PINYIN	PART OF SPEECH	ENGLISH DEFINITION
1	睡眼朦胧	睡眼朦朧	shuìyǎn ménglóng	expr.	sleepy, drowsy
2	伸出	伸出	shēnchū	vc.	to stretch out
3	满把	滿把	mǎnbǎ	n.	a handful
4	夹袄	夾襖	jiá'ǎo	n.	lined jacket
5	堂倌	堂倌	tángguān	n.	waiter
6	掌柜	掌櫃	zhǎngguì	n.	shopkeeper
7	恭敬	恭敬	gōngjìng	v.	to show respect
8	传遍	傳遍	chuánbiàn	vc.	to spread throughout
9	举人	舉人	jǔrén	n.	scholar who has passed the civil examination at the provincial level
10	肃然起敬	肅然起敬	sùrán qǐjìng	expr.	to show deep respect for
11	闺中	閨中	guīzhōng	n.	lady's chambers
12	邹七嫂	鄒七嫂	Zōu Qīsǎo	pn.	(name of a person)

	SIMPLIFIED CHARACTERS	TRADITIONAL CHARACTERS	PINYIN	PART OF SPEECH	ENGLISH DEFINITION
13	价廉物美	價廉物美	jiàlián wùměi	expr.	quality goods at a low price
14	皮背心	皮背心	pí bèixin	n.	leather vest
15	似笑非笑	似笑非笑	sìxiào fēixiào	expr.	fake smile
16	屋檐	屋檐	wūyán	n.	eaves
17	门幕	門幕	ménmù	n.	door curtains
18	慌忙	慌忙	huāngmáng	adv.	in a great hurry
19	懒洋洋	懶洋洋	lǎn yángyáng	adv.	lazily
20	是否	是否	shì fǒu	adv.	if, whether or not
21	闲人们	閑人們	xiánrén men	n.	idlers
22	寻根究底	尋根究底	xúngēn jiūdǐ	expr.	to get to the bottom of things
23	底细	底細	dǐxì	n.	exact details
24	小角色	小角色	xiǎo juésè	n.	insignificant role
25	进洞	進洞	jìndòng	vo.	to get into a cave
26	连夜	連夜	liányè	adv.	through the night

	SIMPLIFIED CHARACTERS	TRADITIONAL CHARACTERS	PINYIN	PART OF SPEECH	ENGLISH DEFINITION
27	乌篷船	烏篷船	wūpéng chuán	n.	boat covered (over) with black canvas
28	河埠头	河埠頭	hé bùtóu	n.	pier
29	寄存	寄存	jìcún	v.	to deposit
30	百里闻名	百里聞名	bǎilǐ wénmíng	expr.	known far and wide
31	不免	不免	bùmiǎn	adv.	unable to avoid doing sth.
32	神往	神往	shénwǎng	v.	to yearn for
33	投靠	投靠	tóukào	v.	to seek refuge with
34	俘虏	俘虜	fúlǔ	n.	captive
35	得意洋洋	得意洋洋	déyì yángyáng	expr.	to be immensely proud of oneself, to be complacent
36	禁不住	禁不住	jīnbuzhù	vc.	to be unable to refrain from sth.
37	怯怯地	怯怯地	qièqiè de	adv.	timidly, fearfully
38	理会	理會	lǐhuì	v.	to pay attention to
39	歪着头	歪著頭	wāizhe tóu	vo.	to tilt one's head
40	惴惴地	惴惴地	zhuìzhuì de	adv.	anxiously and fearfully

	SIMPLIFIED CHARACTERS	TRADITIONAL CHARACTERS	PINYIN	PART OF SPEECH	ENGLISH DEFINITION
41	口风	口風	kǒufēng	n.	intentions as revealed by speech
42	元宝	元寶	yuánbǎo	n.	a gold or silver ingot
43	鼾声	鼾聲	hānshēng	n.	sound of snoring
44	照旧	照舊	zhàojiù	adv.	as usual
45	漆黑	漆黑	qīhēi	adj.	pitch black
46	摆开马步	擺開馬步	bǎikāi mǎbù	expr.	to assume the horse stance (in martial arts, as if ready to fight)
47	一条缝	一條縫	yītiáo fèng	n.	a crack
48	冲出	沖出	chōngchū	vc.	to rush out
49	不由地	不由地	bùyóu de	adv.	uncontrollably
50	消息灵	消息靈	xiāoxi líng	adj.	well-informed
51	阻挡	阻擋	zǔdǎng	v.	to stop, to prevent
52	知县大老爷	知縣大老爺	zhīxiàn dàlǎoye	n.	county magistrate
53	称呼	稱呼	chēnghu	n.	the way in which one is addressed

	SIMPLIFIED CHARACTERS	TRADITIONAL CHARACTERS	PINYIN	PART OF SPEECH	ENGLISH DEFINITION
54	老把总	老把總	lǎo bǎzǒng	n.	army chief in the Qing dynasty
55	盘	盤	pán	v.	to coil, to twine
56	冷落	冷落	lěngluò	v.	to ignore
57	鼓足勇气	鼓足勇氣	gǔzú yǒngqì	vo.	to build up courage
58	涌起	涌起	yǒngqǐ	vc.	to surge up
59	忧愁	憂愁	yōuchóu	n.	sorrow
60	抱负	抱負	bàofù	n.	aspiration
61	志向	志向	zhìxiàng	n.	ambition
62	一笔勾销	一筆勾銷	yìbǐ gōuxiāo	expr.	to write off
63	照例	照例	zhàolì	adv.	as usual
64	混	混	hùn	v.	to kill time
65	爆竹	爆竹	bàozhú	n.	firecrackers
66	气喘吁吁	气喘吁吁	qìchuǎn xūxū	expr.	out of breath

	SIMPLIFIED CHARACTERS	TRADITIONAL CHARACTERS	PINYIN	PART OF SPEECH	ENGLISH DEFINITION
67	县城	縣城	xiànchéng	n.	county town
68	侦探	偵探	zhēntàn	n.	detective
69	悄悄地	悄悄地	qiāoqiāo de	adv.	stealthily
70	机关枪	機關槍	jīguān qiāng	n.	machine gun
71	悬赏	懸賞	xuánshǎng	vo.	to offer a reward
72	衙门	衙門	yámen	n.	government office in ancient China
73	忐忑	忐忑	tǎntè	adj.	worrisome, anxious
74	苦闷	苦悶	kǔmèn	n.	torture, anguish
75	爽快地	爽快地	shuǎngkuài de	adv.	straightforwardly, outright
76	剃着光头	剃著光頭	tizhe guāngtóu	vo.	to shave one's head bald
77	披	披	pī	v.	to wrap around
78	横肉	横肉	héngròu	n.	ferocious appearance
79	怒目而视	怒目而視	nù mù ér shì	expr.	to look angrily at

	SIMPLIFIED CHARACTERS	TRADITIONAL CHARACTERS	PINYIN	PART OF SPEECH	ENGLISH DEFINITION
80	不由得	不由得	*bùyóu de*	adv.	to not be able to help (from doing sth.)
81	从实招来	從實招來	*cóngshí zhāolái*	expr.	to give a factual admission
82	糊里糊涂	糊裡糊塗	*húli hútu*	adj.	confused, ill-informed
83	此刻	此刻	*cǐkè*	n.	this moment
84	一伙人	一夥人	*yīhuǒ rén*	n.	a group of people
85	使眼色	使眼色	*shǐ yǎnsè*	vo.	to wink at
86	栅栏	栅欄	*zhàlan*	n.	fence
87	画押	畫押	*huàyā*	v.	to give one's signature
88	惶恐	惶恐	*huángkǒng*	adj.	terrified
89	惭愧	慚愧	*cánkuì*	adj.	ashamed
90	捏	捏	*niē*	v.	to pinch
91	抖	抖	*dǒu*	v.	to tremble
92	铺	鋪	*pū*	v.	to spread
93	伏下身	伏下身	*fúxià shēn*	vo.	to bend down

	SIMPLIFIED CHARACTERS	TRADITIONAL CHARACTERS	PINYIN	PART OF SPEECH	ENGLISH DEFINITION
94	使尽	使盡	shǐjìn	vc.	to exert fully
95	平生	平生	píngshēng	n.	all one's life
96	牢房	牢房	láofáng	n.	jail cell
97	反绑	反綁	fǎnbǎng	v.	to tie behind someone's back
98	岂不是	豈不是	qǐbushì	expr.	isn't/doesn't...?
99	两眼发黑	兩眼發黑	liǎngyǎn fāhēi	expr.	to black out
100	发昏	發昏	fāhūn	v.	to feel dizzy
101	法场	法場	fǎchǎng	n.	execution ground
102	游街	遊街	yóujiē	vo.	to parade through the streets
103	示众	示眾	shìzhòng	vo.	to expose for public scorn
104	蚂蚁似的	螞蟻似的	mǎyǐ shìde	adj.	antlike
105	羞愧	羞愧	xiūkuì	adj.	ashamed
106	枪毙	槍斃	qiāngbì	v.	to execute by firing squad
107	白跟一趟	白跟一趟	bái gēn yī tàng	expr.	to run a fruitless errand

Questions

1. 阿Q是怎么发财的？未庄人对他的态度有什么变化？

   阿Q是怎麼發財的？未莊人對他的態度有什麼變化？

2. 阿Q找到了革命党吗？他为什么被枪毙了？

   阿Q找到了革命黨嗎？他為什麼被槍斃了？

3. When Ah Q is taken to the execution grounds, what distracts him? How would you interpret the significance of Ah Q's confusion when he is about to be executed?

4. Do you think *The True Story of Ah Q* is told in a realistic way? Why or why not? What do you think was Lu Xun's intention behind telling the story in this way, and what is his message?

II

Overseas Travels

《海外奇游记》
《海外奇遊記》

Excerpts from *Flowers in the Mirror*

《镜花缘》节选改编
《鏡花緣》節選改編

Lǐ Rǔzhēn (1763–1830)

李汝珍
李汝珍

Li Ruzhen, born in Hebei Province, was a polymath and accomplished scholar in a variety of fields, though he failed to pass the imperial examinations beyond the county level. *Flowers in the Mirror* (《镜花缘》 / 《鏡花緣》) (*Jìnghuāyuán*) depicts the journey of Tang Ao (唐敖) (*Táng Aó*) and his friends as they travel to strange lands and encounter the exotic and fantastic. In the following selections, you will read about their experiences in the State of Gentlemen (君子国 / 君子國), State of Giants (大人国 / 大人國), and State of Ladies (女儿国 / 女兒國).

Throughout the novel, through the oblique use of allegory, Li Ruzhen advocates for women's rights and Daoist principles. In the State of Ladies, gender roles are reversed to reveal the absurdity underlying foot binding and the objectification of concubines. Written as an increasing number of women were learning to read and write, *Flowers in the Mirror* also reflects a movement toward gender equality, especially in terms of women's education.

Vivid and elaborate, laden with unreal places and experiences, Li Ruzhen's novel remains an entertaining yet critical satire of China, as he saw it, in the late eighteenth and early nineteenth centuries.

4

Overseas Travels (Part 1)

《海外奇游记》（上）

《海外奇遊記》（上）

唐敖和朋友们在海上漂流

唐敖和朋友們在海上漂流

从前，有一个文人，名字叫唐敖，他很有学问。唐敖很想出门去旅游，看看外面的世界，长一点见识。正好他妻子的哥哥林之洋要出门去做生意，他们就说好了一起坐船去海外旅游。船上什么都好，就是淡水不多，不能每天喝茶，而且要很久才能洗一次澡。

他们就这样在海上漂流着。有一天，他们的船开到了一个离君子国很近的地方。唐敖、林之洋和船上的一位老水手多九公决定一起下船，到各处去看看。他们一上岸就看到了很多又奇怪又有趣的花草树木，鸟兽虫鱼。唐敖正在看得入迷的时候，突然空中掉下一块小石头，打在他头上。唐敖大吃一惊说："这是哪里来的石头？"林之洋说："妹夫，你看，那边有一群黑色的小鸟，在山坡上啄取石块。刚才打你的石头，就是从这种鸟嘴里掉下来的。"唐敖赶快走过去，想看看是

從前，有一個文人，名字叫唐敖，他很有學問。唐敖很想出門去旅遊，看看外面的世界，長一點見識。正好他妻子的哥哥林之洋要出門去做生意，他們就說好了一起坐船去海外旅遊。船上什麼都好，就是淡水不多，不能每天喝茶，而且要很久才能洗一次澡。

他們就這樣在海上漂流著。有一天，他們的船開到了一個離君子國很近的地方。唐敖、林之洋和船上的一位老水手多九公決定一起下船，到各處去看看。他們一上岸就看到了很多又奇怪又有趣的花草樹木，鳥獸蟲魚。唐敖正在看得入迷的時候，突然空中掉下一塊小石頭，打在他頭上。唐敖大吃一驚說："這是哪裡來的石頭？"林之洋說："妹夫，你看，那邊有一群黑色的小鳥，在山坡上啄取石塊。剛才打你的石頭，就是從這種鳥嘴裡掉下來的。"

怎么回事。走近那些鸟，他发现它们跟乌鸦一样大小，全身都是黑色，只有嘴巴是白色的，两只小爪子是红色的。那些鸟儿都忙忙碌碌的，在那里飞来飞去地啄石头。

唐敖和林之洋以前没有见过这种小鸟，不知道它们叫什么名字，都觉得很奇怪。林之洋问多九公："这些小鸟为什么要飞来飞去地搬石头呀？这些石头有什么用处呀？"多九公见多识广，告诉他们说："很久很久以前，天上有一位神仙，名字叫炎帝。炎帝有一个女儿，叫精卫。精卫很喜欢自己一个人出去玩儿。有一天，她去东海边上玩儿，不小心掉到水里淹死了。死了以后，她就变成了这种小鸟，每天飞来飞去地啄石头，要把大海填平。"唐敖说："原来这就是精卫鸟！我早就听说过的。"

说完后，他们就一起继续往前走。过了一会儿，林之洋看到前面有一种大树，他从来没有见过。他说："你们看！前面有一片树林，那些树木又高又大，不知道那是什么树？咱们过去看看吧。如果有新鲜的果子，咱们摘几个来吃吃，那有多好！"

于是，他们走到了那片树林里，发现那些树虽然非常高大，但都没有结果，上面倒是

唐敖趕快走過去，想看看是怎麼回事。走近那些鳥，他發現它們跟烏鴉一樣大小，全身都是黑色，只有嘴巴是白色的，兩隻小爪子是紅色的。那些鳥兒都忙忙碌碌的，在那裡飛來飛去地啄石頭。

　　唐敖和林之洋以前沒有見過這種小鳥，不知道它們叫什麼名字，都覺得很奇怪。林之洋問多九公："這些小鳥為什麼要飛來飛去地搬石頭呀？這些石頭有什麼用處呀？"多九公見多識廣，告訴他們說："很久很久以前，天上有一位神仙，名字叫炎帝。炎帝有一個女兒，叫精衛。精衛很喜歡自己一個人出去玩兒。有一天，她去東海邊上玩兒，不小心掉到水裡淹死了。死了以後，她就變成了這種小鳥，每天飛來飛去地啄石頭，要把大海填平。"唐敖說："原來這就是精衛鳥！我早就聽說過的。"

　　說完後，他們就一起繼續往前走。過了一會兒，林之洋看到前面有一種大樹，他從來沒有見過。他說："你們看！前面有一片樹林，那些樹木又高又大，不知道那是什麼樹？咱們過去看看吧。如果有新鮮的果子，咱們摘幾個來吃吃，那有多好！"

　　于是，他們走到了那片樹林裡，發現那些樹雖然非常高大，但都沒有結果，长了很多稻穗，每个都有一丈多长。<u>唐敖</u>说："这种稻穗，我以前见过的，这叫'木禾'。"接着，他们又在树底下发现了木禾结的大米，每一颗都有三寸宽，五寸长。<u>多九公</u>说："以前我在海外旅游的时候还吃过更大更长的米，宽五寸，长一尺。煮出来的饭香极了。吃了一粒就一年都不用吃饭了！"

吃了一粒就
一年都不用吃饭了

　　他们正在说着话，突然<u>唐敖</u>在路边发现了一种青草，叶子长得像松树，非常绿，非常好看。唐敖拔起一根草，把它放在口里吃下去，他觉得又香又甜，好吃极了。<u>林之洋</u>觉得很奇怪，笑着问："妹夫，你为什么要吃草呀？"<u>多九公</u>说："这种草叫作'蹑空草'，人如果吃了，就能站到空中去。"

　　<u>林之洋</u>说："吃了这种草，就能站在空中？我不相信。妹夫，你试试看。我要看到你站在空中才相信呢。"<u>唐敖</u>道："我才吃下去

上面倒是長了很多稻穗，每個都有一丈多長。唐敖說：“這種稻穗，我以前見過的，這叫‘木禾’。”接著，他們又在樹底下發現了木禾結的大米，每一顆都有三寸寬，五寸長。多九公說：“以前我在海外旅遊的時候還吃過更大更長的米，寬五寸，長一尺。煮出來的飯香極了。吃了一粒就一年都不用吃飯了！”

他們正在說著話，突然唐敖在路邊發現了一種青草，葉子長得像松樹，非常綠，非常好看。唐敖拔起一根草，把它放在口裡吃下去，他覺得又香又甜，好吃極了。林之洋覺得很奇怪，笑著問：“妹夫，你為什麼要吃草呀？”多九公說：“這種草叫作‘躡空草’，人如果吃了，就能站到空中去。”

吃了躡空草
就能站到空中去

林之洋說：“吃了這種草，就能站在空中？我不相信。妹夫，你試試看。我要

没多久，不知道有用没有用。让我试一试吧。"说完，唐敖往上一跳，果然跳到了空中，离地有五六丈，也不掉下来。林之洋拍着手，笑着说："果然可以站在空中。妹夫，你走两步试试看。"唐敖听了，抬起脚来想在空中走路，可是没想到刚走一步，就掉下来了。

就这样，唐敖、林之洋和多九公看见了许多有趣的花草树木。

看到你站在空中才相信呢。”唐敖道：“我才吃下去沒多久，不知道有用沒有用。讓我試一試吧。”說完，唐敖往上一跳，果然跳到了空中，離地有五六丈，也不掉下來。林之洋拍著手，笑著說：“果然可以站在空中。妹夫，你走兩步試試看。”唐敖聽了，擡起脚來想在空中走路，可是沒想到剛走一步，就掉下來了。

就這樣，唐敖、林之洋和多九公看見了許多有趣的花草樹木。

Vocabulary List

	SIMPLIFIED CHARACTERS	TRADITIONAL CHARACTERS	PINYIN	PART OF SPEECH	ENGLISH DEFINITION
1	唐敖	唐敖	*Táng Aó*	pn.	(name of a person)
2	漂流	漂流	*piāoliú*	v.	to drift
3	文人	文人	*wénrén*	n.	scholar
4	学问	學問	*xuéwen*	n.	education and knowledge
5	见识	見識	*jiànshi*	n.	knowledge and experience
6	林之洋	林之洋	*Lín Zhīyáng*	pn.	(name of a person)
7	做生意	做生意	*zuò shēngyi*	vo.	to do business
8	淡水	淡水	*dànshuǐ*	n.	fresh water
9	君子	君子	*jūnzǐ*	n.	person of noble character
10	水手	水手	*shuǐshǒu*	n.	sailor
11	多九公	多九公	*Duō Jiǔgōng*	pn.	(name of a person)
12	鸟兽虫鱼	鳥獸蟲魚	*niǎoshòu chóngyú*	n.	birds, beasts, insects, and fish
13	看得入迷	看得入迷	*kàn de rùmí*	vc.	to be fascinated
14	山坡	山坡	*shānpō*	n.	hillside

	SIMPLIFIED CHARACTERS	TRADITIONAL CHARACTERS	PINYIN	PART OF SPEECH	ENGLISH DEFINITION
15	啄取	啄取	zhuóqǔ	vc.	to hold in the mouth
16	乌鸦	烏鴉	wūyā	n.	crow
17	忙忙碌碌	忙忙碌碌	mángmáng lùlù	adj.	busy, on the run
18	见多识广	見多識廣	jiànduō shíguǎng	adj.	well-read and well-informed
19	精卫	精衛	Jīngwèi	pn.	(name of a person and celestial bird)
20	树林	樹林	shùlín	n.	woods, forest
21	新鲜的	新鮮的	xīnxiān de	adj.	fresh
22	稻穗	稻穗	dàosuì	n.	rice plant
23	木禾	木禾	mùhé	n.	standing grain, rice
24	煮	煮	zhǔ	v.	to cook
25	松树	松樹	sōngshù	n.	pine tree
26	蹑空草	躡空草	nièkōng cǎo	n.	a grass that enables one to float in the air after eating it
27	抬起脚	擡起脚	táiqǐ jiǎo	vo.	to raise one's feet

Questions

1. 精卫鸟为什么要飞来飞去搬石头？

精衛鳥為什麼要飛來飛去搬石頭？

2. 唐敖，林之洋和多九公还看见了什么有趣的东西？

唐敖，林之洋和多九公還看見了什麼有趣的東西？

3. You might remember the celestial bird that Tang Ao, Lin Zhiyang, and Duo Jiugong encounter from the story 精卫填海 / 精衛填海 in Volume 1 of *Tales and Traditions*. This mythological figure also appears in other ancient writings as well. Why do you think this is so?

4. Why do you think the descriptions of the wildlife in the State of Gentlemen is depicted in a fantastical nature? How do you expect the people in the State of Gentlemen will be portrayed in the next chapter?

海外奇遊記（中）

5

Overseas Travels (Part 2)

《海外奇游记》（中）
《海外奇遊記》（中）

君子国和大人国
君子國和大人國

有一天，<u>唐敖</u>、<u>林之洋</u>和<u>多九公</u>又到了一个叫君子国的地方。君子国很大，人口很多，城市也很繁华，街上的人都很有礼貌。不管男女老少，穷人富人都穿着很干净整洁的衣服。到了集市上，<u>唐敖</u>、<u>林之洋</u>和<u>多九公</u>发现做生意的人很多，每个人都彬彬有礼，真不愧是君子国。

这时候，他们看见集市上有个人在买东西，并且听到那个买东西的人对卖东西的人说："您的东西这么好，却卖得这么便宜，让我怎么好意思呢。您一定要卖贵一些，我才安心。"<u>唐敖</u>听了，觉得很奇怪，他小声地对<u>林之洋</u>说："我只见过买东西的人讨价还价，还没见过买东西的人要多付钱的呢。这里真是名副其实的君子国呀！"这时，又听到那个卖东西的人说："我刚才要的价格太高，已经不好意思了。您还要我加钱，那我就更不好

有一天，<u>唐敖</u>、<u>林之洋</u>和<u>多九公</u>又到了一個叫君子國的地方。君子國很大，人口很多，城市也很繁華，街上的人都很有禮貌。不管男女老少，窮人富人都穿著很乾淨整潔的衣服。到了集市上，<u>唐敖</u>、<u>林之洋</u>和<u>多九公</u>發現做生意的人很多，每個人都彬彬有禮，真不愧是君子國。

這時候，他們看見集市上有個人在買東西，並且聽到那個買東西的人對賣東西的人說："您的東西這麼好，却賣得這麼便宜，讓我怎麼好意思呢。您一定要賣貴一些，我才安心。"<u>唐敖</u>聽了，覺得很奇怪，他小聲地對<u>林之洋</u>說："我只見過買東西的人討價還價，還沒見過買東西的人要多付錢的呢。這裡真是名副其實的君子國呀！"這時，又聽到那個賣東西的人說："我剛才

意思了。"唐敖他们在市场走了一圈，发现大家都是这样的谦虚有礼貌，十分感叹。

离开了君子国以后，唐敖他们又来到了大人国。大人国的风俗习惯和君子国十分相似，只是他们那儿的人都乘着云彩行走。唐敖他们觉得奇怪极了，就去问一个老人，这个老人告诉他们说，彩色的云最高贵，黑色的云最卑贱。

就在这时候，林之洋在街上看到了一个乞丐，穿得破破烂烂的，可是奇怪的是，他的脚下竟然乘的是彩色的云朵。林之洋赶忙问那个老人："为什么这个又穷又丑的乞丐脚底下乘的是最高贵的彩云，不是黑云呢？"老人家呵呵地笑了，回答他说："云朵的颜色分为高贵卑贱，可是这个高贵卑贱指的不是身份地位或者财产的多少，而是由一个人的品德言行决定的。心地善良，做很多好事的人，不管他多穷、多丑、地位多低，脚底下乘的都是彩色的云朵。"

他们正说着话，突然看到街上的行人都往两边闪开，在中间让出一条大路来。原来有一位官员要从这里经过，他头上戴着高高的官帽，身上穿着漂亮的官服，后面还跟着很多随从给他打伞，很是神气威风。可是，

要的價格太高，已經不好意思了。您還要我加錢，那我就更不好意思了。"唐敖他們在市場走了一圈，發現大家都是這樣的謙虛有禮貌，十分感嘆。

離開了君子國以後，唐敖他們又來到了大人國。大人國的風俗習慣和君子國十分相似，只是他們那兒的人都乘著雲彩行走。唐敖他們覺得奇怪極了，就去問一個老人，這個老人告訴他們說，彩色的雲最高貴，黑色的雲最卑賤。

就在這時候，林之洋在街上看到了一個乞丐，穿得破破爛爛的，可是奇怪的是，他的腳下竟然乘的是彩色的雲朵。林之洋趕忙問那個老人："為什麼這個又窮又醜的乞丐腳底下乘的是最高貴的彩雲，不是黑雲呢？"老人家呵呵地笑了，回答他說："雲朵的顏色分為高貴卑賤，可是這個高貴卑賤指的不是身份地位或者財產的多少，而是由一個人的品德言行決定的。心地善良，做很多好事的人，不管他多窮、多醜、地位多低，腳底下乘的都是彩色的雲朵。"

他們正說著話，突然看到街上的行人都往兩邊閃開，在中間讓出一條大路

云朵的颜色变黑了，

他只好蒙一块红布遮丑了

他的脚下却蒙着一块很大的红布，让人看不清他乘的云是什么颜色。

唐敖又去问那个老人："为什么这位大官脚下蒙着一块红布呢？"老人回答说："因为他做了很多坏事，云朵的颜色变黑了，所以他就只好蒙一块红布遮丑了。"唐敖又问："那一直蒙着布走路，多不方便呀？"老人又说："我们这里云朵的颜色不是固定的，会随着一个人的品行言谈而变化。如果他以后多做好事，慢慢地，黑云又会变成美丽的彩云的。"

唐敖他们离开了大人国，又继续坐船在海上航行。过了很久，他们到了女儿国。多九公说："这个女儿国的风俗习惯和别的地方都不太一样。他们这里有男有女，和我们那里一样。和我们不一样的是：男人都穿了女人的衣服裙子，在家里做家务；而女人呢，

來。原來有一位官員要從這裡經過，他頭上戴著高高的官帽，身上穿著漂亮的官服，後面還跟著很多隨從給他打傘，很是神氣威風。可是，他的腳下卻蒙著一塊很大的紅布，讓人看不清他乘的雲是什麼顏色。

唐敖又去問那個老人：「為什麼這位大官腳下蒙著一塊紅布呢？」老人回答說：「因為他做了很多壞事，雲朵的顏色變黑了，所以他就只好蒙一塊紅布遮醜了。」唐敖又問：「那一直蒙著布走路，多不方便呀？」老人又說：「我們這裡雲朵的顏色不是固定的，會隨著一個人的品行言談而變化。如果他以後多做好事，慢慢地，黑雲又會變成美麗的彩雲的。」

唐敖他們離開了大人國，又繼續坐船在海上航行。過了很久，他們到了女兒國。多九公說：「這個女兒國的風俗習慣和別的地方都不太一樣。他們這裡有男有女，和我們

都穿了男人的衣服鞋子，在外面工作养家。"唐敖说："男人在家做女人的事情，他们脸上要涂脂抹粉吗？还要缠脚吗？"林之洋回答说："我以前听说他们最喜欢缠足了，不论是有钱人家还是普通人家，都认为小脚是很高贵的。脸上涂的脂粉，就更是不能缺少的了。幸亏我们那里男人不要缠足。要不然，我们可就惨了！"

过了一会儿，林之洋又说："我带了很多胭脂、梳子一类的货物，一会儿去女儿国卖。"唐敖说："这些东西会有人买吗？"多九公说："这里的人，不管是国王还是普通人，别的地方都很节约，就是最喜欢花钱在打扮上面。不管有钱还是没钱，只要是说到打扮，人们就会兴致勃勃，再穷的人也一样。你带来的货物肯定一下子就能卖完。"

唐敖说："女儿国这么有趣，等一会儿我们一定要去参观一下。姐夫今天看起来满面红光，肯定货物会卖得很好，赚很多钱。"林之洋说："对呀，今天早上有两只喜鹊，一直对着我叫，可能我今天要发大财了。"说完，林之洋就高高兴兴地进城卖货去了。

那裡一樣。和我們不一樣的是：男人都穿了女人的衣服裙子，在家裡做家務；而女人呢，都穿了男人的衣服鞋子，在外面工作養家。"唐敖說："男人在家做女人的事情，他們臉上要塗脂抹粉嗎？還要纏腳嗎？"林之洋回答說："我以前聽說他們最喜歡纏足了，不論是有錢人家還是普通人家，都認為小腳是很高貴的。臉上塗的脂粉，就更是不能缺少的了。幸虧我們那裡男人不要纏足。要不然，我們可就慘了！"

過了一會兒，林之洋又說："我帶了很多胭脂、梳子一類的貨物，一會兒去女兒國賣。"唐敖說："這些東西會有人買嗎？"多九公說："這裡的人，不管是國王還是普通人，別的地方都很節約，就是最喜歡花錢在打扮上面。不管有錢還是沒錢，只要是說到打扮，人們就會興致勃勃，再窮的人也一樣。你帶來的貨物肯定一下子就能賣完。"

唐敖說："女兒國這麼有趣，等一會兒我們一定要去參觀一下。姐夫今天看起來滿面紅光，肯定貨物會賣得很好，賺很多錢。"林之洋說："對呀，今天早上有兩隻喜鵲，一直對著我叫，可能我今天要發大財了。"說完，林之洋就高高興興地進城賣貨去了。

Vocabulary List

	SIMPLIFIED CHARACTERS	TRADITIONAL CHARACTERS	PINYIN	PART OF SPEECH	ENGLISH DEFINITION
1	繁华	繁華	*fánhuá*	adj.	prosperous, flourishing
2	干净整洁	乾淨整潔	*gānjìng zhěngjié*	adj.	clean and tidy
3	彬彬有礼	彬彬有禮	*bīnbīn yǒu lǐ*	expr.	well-mannered
4	不愧	不愧	*bùkuì*	v.	to deserve, to be worthy of
5	讨价还价	討價還價	*tǎojià huánjià*	expr.	to bargain
6	名副其实	名副其實	*míngfù qíshí*	expr.	worthy of the name
7	谦虚	謙虛	*qiānxū*	adj.	modest
8	感叹	感嘆	*gǎntàn*	v.	to exclaim
9	风俗习惯	風俗習慣	*fēngsú xíguàn*	n.	customs and habits
10	卑贱	卑賤	*bēijiàn*	adj.	lowly
11	乞丐	乞丐	*qǐgài*	n.	beggar
12	品德言行	品德言行	*pǐndé yánxíng*	n.	character and conduct
13	遮丑	遮醜	*zhēchǒu*	vo.	to hide one's shame
14	固定	固定	*gùdìng*	adj.	fixed, unchangeable

	SIMPLIFIED CHARACTERS	TRADITIONAL CHARACTERS	PINYIN	PART OF SPEECH	ENGLISH DEFINITION
15	航行	航行	hángxíng	v.	to sail
16	裙子	裙子	qúnzi	n.	dress
17	家务	家務	jiāwù	n.	housework
18	养家	養家	yǎng jiā	vo.	to support the family
19	涂脂抹粉	塗脂抹粉	túzhī mǒfěn	vo.	to put on rouge, to doll up
20	缠脚	纏脚	chánjiǎo	vo.	to bind one's feet
21	缺少	缺少	quēshǎo	v.	to lack, to be short of
22	惨	慘	cǎn	adj.	miserable
23	胭脂	胭脂	yānzhī	n.	rouge
24	梳子	梳子	shūzi	n.	comb
25	货物	貨物	huòwù	n.	goods, merchandise
26	节约	節約	jiéyuē	v.	to be frugal
27	打扮	打扮	dǎbàn	v.	to dress up
28	兴致勃勃	興致勃勃	xìngzhì bóbó	expr.	full of enthusiasm
29	满面红光	滿面紅光	mǎnmiàn hóngguāng	expr.	radiant with vigor

Questions

1. 君子国的人有什么风俗？你喜欢吗？
   为什么？
   君子國的人有什麼風俗？你喜歡嗎？
   為什麼？

2. 大人国的人有什么风俗？你喜欢吗？
   为什么？
   大人國的人有什麼風俗？你喜歡嗎？
   為什麼？

3. How do you think the ability of people's clouds to change color in the State of Giants reflects an outlook on human nature? Using resources online, research the competing viewpoints of human nature in Chinese philosophy.

4. The State of Gentlemen and the State of Giants depict people practicing customs that represent a Chinese social and cultural ideal. How do these differ from the social and cultural realities of China during the Qing dynasty?

海外奇游记（下）

海外奇遊記（下）

6

Overseas Travels (Part 3)

《海外奇游记》（下）
《海外奇遊記》（下）

女儿国历险记
女兒國歷險記

唐敖和多九公也上了岸，进了城，他们仔细看着街上的人，发现他们虽然穿了男人的服装，但说话的声音却像是女人，也没有胡子，个子也很瘦小。唐敖看了，觉得很有趣，说："这个地方的男人是这样的，不知道女人又是怎样的？"多九公指着路边说："你看那个女人，拿着针线在那里做鞋。"

唐敖一看，果然路边的人家门里坐着一个女人：头发黑油油的，还戴了很多首饰；紫红的衣服；绿色的裙子；脸上还涂了很多脂粉，但是却长着很多胡子。看着看着，唐敖忍不住笑出了声。那个女人对着唐敖说："你这个女人，是在笑我吗？"这个声音，粗得像破锣一样，吓得唐敖拉起多九公就拼命地跑。

可是，等他们回到船上以后，林之洋还没有回来。一直等到半夜，也没有消息。

唐敖和多九公也上了岸，進了城，他們仔細看著街上的人，發現他們雖然穿了男人的服裝，但說話的聲音却像是女人，也沒有鬍子，個子也很瘦小。唐敖看了，覺得很有趣，說："這個地方的男人是這樣的，不知道女人又是怎樣的？"多九公指著路邊說："你看那個女人，拿著針線在那裡做鞋。"

唐敖一看，果然路邊的人家門裡坐著一個女人：頭髮黑油油的，還戴了很多首飾；紫紅的衣服；綠色的裙子；臉上還塗了很多脂粉，但是却長著很多鬍子。看著看著，唐敖忍不住笑出了聲。那個女人對著唐敖說："你這個女人，是在笑我嗎？"這個聲音，粗得像破鑼一樣，嚇得唐敖拉起多九公就拼命地跑。

可是，等他們回到船上以後，林之洋還沒有回來。一直等到半夜，也沒有消息。

唐敖和多九公提着灯笼，上岸去找。可是，走到城边的时候，他们发现城门已经关了，只好回到船上去了。第二天，第三天他们又去找，还是没有找到林之洋。

原来，那天林之洋去王宫卖货，被女儿国的国王看中了，要娶他做王后。林之洋被留在宫里，被迫换上了女人的衣服、裙子、剃胡子、涂胭脂、戴首饰、还缠了脚。林之洋当然不愿意，他又喊又叫，宫女们就把他绑起来，用竹板打他的屁股。林之洋每天都很痛苦，又没有办法逃跑，在那里真是度日如年。

好在几天后，唐敖、多九公和其他船上的水手终于打听到了他的下落，他们想了很多办法，偷偷地溜进王宫，半夜把他救了出来。林之洋回到船上，大病了一场。他们休息了好几个月，再又出发，继续乘船在海上冒险。

唐敖和多九公提著燈籠，上岸去找。可是，走到城邊的時候，他們發現城門已經關了，只好回到船上去了。第二天，第三天他們又去找，還是沒有找到林之洋。

原來，那天林之洋去王宮賣貨，被女兒國的國王看中了，要娶他做王后。林之洋被留在宮裡，被迫換上了女人的衣服、裙子、剃鬍子、塗胭脂、戴首飾、還纏了腳。林之洋當然不願意，他又喊又叫，宮女們就把他綁起來，用竹板打他的屁股。林之洋每天都很痛苦，又沒有辦法逃跑，在那裡真是度日如年。

好在幾天後，唐敖、多九公和其他船上的水手終于打聽到了他的下落，他們想了很多辦法，偷偷地溜進王宮，半夜把他救了出來。林之洋回到船上，大病了一場。他們休息了好幾個月，再又出發，繼續乘船在海上冒險。

Vocabulary List

	SIMPLIFIED CHARACTERS	TRADITIONAL CHARACTERS	PINYIN	PART OF SPEECH	ENGLISH DEFINITION
1	历险记	歷險記	*lìxiǎn jì*	n.	adventure story
2	服装	服裝	*fúzhuāng*	n.	costume, clothing
3	胡子	鬍子	*húzi*	n.	beard
4	瘦小	瘦小	*shòuxiǎo*	adj.	skinny and small
5	针线	針線	*zhēnxiàn*	n.	needle and thread
6	黑油油	黑油油	*hēi yóuyóu*	adj.	shining black
7	紫红	紫紅	*zǐhóng*	n.	purplish red
8	涂	塗	*tú*	v.	to put on (makeup)
9	忍不住	忍不住	*rěnbuzhù*	vc.	to not be able to help (from doing sth.)
10	粗	粗	*cū*	adj.	coarse
11	破锣	破鑼	*pòluó*	n.	broken gong
12	拼命	拼命	*pīnmìng*	vo.	to strive, to be desperate for

	SIMPLIFIED CHARACTERS	TRADITIONAL CHARACTERS	PINYIN	PART OF SPEECH	ENGLISH DEFINITION
13	看中	看中	*kànzhòng*	vc.	to have a preference for, to fancy
14	王后	王后	*wánghòu*	n.	queen
15	剃胡子	剃鬍子	*tì húzi*	vo.	to shave one's beard
16	涂胭脂	塗胭脂	*tú yānzhī*	vo.	to put on lipstick and rouge
17	绑起来	綁起來	*bǎng qǐlái*	vc.	to tie up
18	竹板	竹板	*zhúbǎn*	n.	bamboo plank
19	屁股	屁股	*pìgu*	n.	buttocks, bottom
20	度日如年	度日如年	*dù rì rú nián*	expr.	(because of anxiety or worries) days feel like years
21	下落	下落	*xiàluò*	n.	whereabouts
22	溜进	溜進	*liūjìn*	vc.	to sneak into
23	乘船	乘船	*chéngchuán*	vo.	to ride a boat

Questions

1. 女儿国的国王是男人还是女人？你是怎么知道的？

   女兒國的國王是男人還是女人？你是怎麼知道的？

2. 林之洋在女儿国过得快乐吗？为什么？

   林之洋在女兒國過得快樂嗎？為什麼？

3. What ideals does Li Ruzhen depict through his description of the State of Women? How does it contrast with the gender roles and social status of women in the Qing dynasty?

4. How do you think the State of Gentlemen and the State of Women relate to each other? What collective message is Li Ruzhen conveying through them?

III

The Story of the Monkey King

孙悟空的故事
孫悟空的故事

Excerpts from *Journey to the West*

《西游记》节选改编
《西遊記》節選改編

Wú Chéng'ēn (1501–1582)

吴承恩
吳承恩

Journey to the West (《西游记》 / 《西遊記》) (*Xīyóu Jì*), believed to have been written by Wu Cheng'en in the sixteenth century, is considered one of the Four Great Classical Novels (四大名著 / 四大名著) of Chinese literature. The novel, based loosely on real events, tells the story of the famous pilgrimage to India made by Tang Seng, a Buddhist monk who lived during the Tang dynasty.

In the story, Tang Seng and his disciples are instructed by the Bodhisattva Guanyin to retrieve Buddhist scriptures from India. The monk's disciples are Sha Wujing; Zhu Bajie, who you may know from Volume 3 of *Tales and Traditions*; and Sun Wukong, also known as the Monkey King. These characters agree to atone for past sins by helping Tang Seng, fending off attacks from various monsters and working through mishaps along the way. Sun Wukong proves to be the most intelligent and capable disciple among the four. The first chapters of *Journey to the West* tell of the origins of Sun Wukong, on which this unit is based.

7

The Story of the
Monkey King (Part 1)

孙悟空的故事（上）
孫悟空的故事（上）

很久很久以前，在一个很远的地方有一个国家，叫敖来国。这个国家离大海很近。海中有一座山，叫花果山。花果山上花草茂盛，还有很多动物和飞鸟。在花果山的山顶上，有一块大磐石。这块石头又高又大，因为开天辟地以来一直感受着天地精华，所以里面孕育了一个仙胞。一天，这块石头突然裂开了，滚出一个圆球，圆球变成了一只猴子，又蹦又跳。

这只石猴在花果山过得很快乐，每天蹦蹦跳跳，饿了就吃树上的果子，渴了就喝泉水，还经常和别的动物一起结伴玩耍。有一天，天气很热，石猴和很多猴子在一起玩了一会儿，就去山涧里洗澡，它们发现了一个大瀑布，猴子们都说："谁能钻进去找到源头，我们就拜他为王。"石猴听了，跳出来说："我去！我去！"

很久很久以前，在一個很遠的地方有一個國家，叫敖來國。這個國家離大海很近。海中有一座山，叫花果山。花果山上花草茂盛，還有很多動物和飛鳥。在花果山的山頂上，有一塊大磐石。這塊石頭又高又大，因為開天闢地以來一直感受著天地精華，所以裡面孕育了一個仙胞。一天，這塊石頭突然裂開了，滾出一個圓球，圓球變成了一隻猴子，又蹦又跳。

這隻石猴在花果山過得很快樂，每天蹦蹦跳跳，餓了就吃樹上的果子，渴了就喝泉水，還經常和別的動物一起結伴玩耍。有一天，天氣很熱，石猴和很多猴子在一起玩了一會兒，就去山澗裡洗澡，它們發現了一個大瀑布，猴子們都說："誰能鑽進去找到源頭，我們就拜他為王。"石猴聽了，跳出來說："我去！我去！"

石猴闭上眼睛，蹲下身子，往瀑布里跳了进去。等他睁开眼睛的时候，发现里边并没有水，却有一座桥，桥那边好像还有人家。石猴高兴地往回走，然后蹲下身子，跳出水来。猴子们把他围住，问："里面怎么样？水有多深？"石猴说："没水，却有个好地方。"猴子们听了，都很高兴，说："带我们进去吧。"石猴又蹲下身子，闭上眼睛说："都跟我进来吧！"猴子们都跟着石猴跳了进去。到了里面，发现桥的那边真有个好地方，那里有石床、石桌、石盆、石碗，猴子们都很高兴，它们把这个地方叫水帘洞。从此，它们就在里面住了下来，拜石猴为王，称它美猴王。

美猴王和别的猴子们在花果山水帘洞过着无忧无虑的生活，可是美猴王还想多学一点儿本领，想变得长生不老。于是，

石猴閉上眼睛，蹲下身子，往瀑布裡跳了進去。等他睜開眼睛的時候，發現裡邊並沒有水，却有一座橋，橋那邊好像還有人家。石猴高興地往回走，然後蹲下身子，跳出水來。猴子們把他圍住，問："裡面怎麼樣？水有多深？"石猴說："沒水，却有個好地方。"猴子們聽了，都很高興，說："帶我們進去吧。"石猴又蹲下身子，閉上眼睛說："都跟我進來吧！"猴子們都跟著石猴跳了進去。到了裡面，發現橋的那邊真有個好地方，那裡有石床、石桌、石盆、石碗，猴子們都很高興，它們把這個地方叫水簾洞。從此，它們就在裡面住了下來，拜石猴為王，稱它美猴王。

美猴王還想變得長生不老

美猴王和別的猴子們在花果山水簾洞過著無憂無慮的生活，可是美猴王還想多學一點兒本領，想變得長生不老。于是，有一天，他告别了猴子们，要去找一个师傅学本领。他先坐船，又走了很长很长的路，到了一个很远很远的地方。在一个风景很美的深山里找到了一个老神仙，拜他为师。

老神仙给他起了个名字，叫孙悟空。从此，他就跟着老神仙学本领。过了很多年，他学会了七十二变，学会了翻筋斗云，一个筋斗就可以飞十万八千里，也可以长生不老了。孙悟空非常高兴，感谢了师傅，就翻着筋斗云回到了花果山水帘洞。

有一天，他告別了猴子們，要去找一個師傅學本領。他先坐船，又走了很長很長的路，到了一個很遠很遠的地方。在一個風景很美的深山裡找到了一個老神仙，拜他為師。

老神仙給他起了個名字，叫孫悟空。從此，他就跟著老神仙學本領。過了很多年，他學會了七十二變，學會了翻筋斗雲，一個筋斗就可以飛十萬八千里，也可以長生不老了。孫悟空非常高興，感謝了師傅，就翻著筋斗雲回到了花果山水簾洞。

Vocabulary List

	SIMPLIFIED CHARACTERS	TRADITIONAL CHARACTERS	PINYIN	PART OF SPEECH	ENGLISH DEFINITION
1	敖来国	敖來國	Aóláiguó	pn.	(name of a fictional country)
2	花果山	花果山	Huāguǒ Shān	pn.	The Mountain of Flowers and Fruit
3	磐石	磐石	pánshí	n.	boulder
4	开天辟地	開天闢地	kāitiān pìdì	expr.	the split of heaven and earth, the beginning of time
5	感受	感受	gǎnshòu	v.	to feel and experience
6	孕育	孕育	yùnyù	v.	to be pregnant
7	又蹦又跳	又蹦又跳	yòu bèng yòu tiào	v.	to hop and skip
8	泉水	泉水	quánshuǐ	n.	spring water
9	结伴玩耍	結伴玩耍	jiébàn wánshuǎ	v.	to play in the company of
10	山涧	山澗	shānjiàn	n.	mountain stream
11	瀑布	瀑布	pùbù	n.	waterfall
12	钻进去	鑽進去	zuān jìnqu	vc.	to crawl into

	SIMPLIFIED CHARACTERS	TRADITIONAL CHARACTERS	PINYIN	PART OF SPEECH	ENGLISH DEFINITION
13	源头	源頭	yuántóu	n.	source, origin
14	拜他为王	拜他為王	bài tā wéi wáng	expr.	to crown sb. as king
15	睁开眼睛	睜開眼睛	zhēngkāi yǎnjing	vo.	to open (one's) eyes
16	石盆	石盆	shípén	n.	stone basin
17	水帘洞	水簾洞	Shuǐlián Dòng	pn.	Cave of Water Curtains
18	美猴王	美猴王	Měihóu Wáng	pn.	Monkey King
19	无忧无虑	無憂無慮	wúyōu wúlǜ	adj.	carefree and light-hearted
20	长生不老	長生不老	chángshēng bù lǎo	v./adj.	(to become) immortal
21	拜他为师	拜他為師	bài tā wéi shī	expr.	to acknowledge sb. as one's master
22	孙悟空	孫悟空	Sūn Wùkōng	pn.	(name of the Monkey King)
23	七十二变	七十二變	qīshíèr biàn	n.	seventy-two transformations
24	翻筋斗云	翻筋斗雲	fān jīndǒuyún	vo.	to somersault over the clouds

1. 石猴是怎么出生的？小猴子们为什么称它
   为<u>美猴王</u>？

   石猴是怎麼出生的？小猴子們為什麼
   稱它為<u>美猴王</u>？

2. <u>美猴王</u>从老神仙那儿学到了什么本领？

   <u>美猴王</u>從老神仙那兒學到了什麼本領？

3. Monkeys are a favorite animal in Chinese culture, and
   they are often anthropomorphized with positive human
   attributes. What evidence of this can you see in this part
   of the story?

4. Why do you think the Monkey King was given the name
   Sun Wukong? How might this name have a connection
   with Buddhism? If you know the whole story of *Journey
   to the West*, how does this name relate to the Buddhist
   scriptures obtained on the pilgrimage?

8

The Story of the
Monkey King (Part 2)

孙悟空的故事（中）
孫悟空的故事（中）

孫悟空的故事（中）

猴子们看到美猴王回来了，都很高兴。孙悟空本领大了，又去东海龙王的宫殿里借来了可以随意变大变小的如意金箍棒，就更加如虎添翼了。玉皇大帝知道了地上住了个这么厉害的美猴王，就派金星大仙去请孙悟空到天宫里来，要让他做官，当弼马温。孙悟空高高兴兴地去上任了，会见了其他的官员，知道了弼马温是一个负责养马的官，归他养的马有一千多匹。从此，孙悟空就认认真真地管理这些马，工作兢兢业业，把马养得又肥又壮。

有一天，孙悟空和其他管马的官员在一起喝酒。孙悟空问大家："弼马温是个多大的官？"大家回答说："这是最小最小的官了。

猴子們看到美猴王回來了，都很高興。孫悟空本領大了，又去東海龍王的宮殿裡借來了可以隨意變大變小的如意金箍棒，就更加如虎添翼了。玉皇大帝知道了地上住了個這麼厲害的美猴王，就派金星大仙去請孫悟空到天宮裡來，要讓他做官，當弼馬溫。孫悟空高高興興地去上任了，會見了其他的官員，知道了弼馬溫是一個負責養馬的官，歸他養的馬有一千多匹。從此，孫悟空就認認真真地管理這些馬，工作兢兢業業，把馬養得又肥又壯。

有一天，孫悟空和其他管馬的官員在一起喝酒。孫悟空問大家："弼馬溫是個多大的官？"大家回答說："這是最小最小的官了。如果你把馬養得好，最多也就是得個表揚；如果養得不好，還要受懲罰呢！"孫悟空一聽，大發雷霆，說："這太看不起咱老孫了！老孫在花果山水簾洞的時候，

如果你把马养得好，最多也就是得个表扬；如果养得不好，还要受惩罚呢！"孙悟空一听，大发雷霆，说："这太看不起咱老孙了！老孙在花果山水帘洞的时候，是美猴王，猴子们的老祖宗，怎么骗我到这里来帮他们养马，做这个下等人的工作？这个官我不要了！我回家去了！"

孙悟空越说越生气，就把他的如意金箍棒从耳朵里取出来，变得很大。他拿着如意金箍棒，到处又打又砸，把喝酒的桌子也打翻了。就这样，他一路打出天宫，回到了花果山水帘洞，还在外面竖起了一杆大旗，上面写着"齐天大圣"四个大字，飘扬在水帘洞前。

孙悟空离开天宫的第二天，别的养马的官员都去向玉皇大帝报告说："弼马温嫌他的官太小了，离开天宫回家去了。"玉皇大帝一听，非常生气，就说："谁去把弼马温抓回来？"托塔李天王和他的三儿子哪吒说："我们去！"玉皇大帝就派他们带着天兵天将去抓孙悟空。

托塔李天王和哪吒带领的天兵天将中，有一位叫巨灵神。他们一起飞到了花果山，看到很多小猴子在那里玩玩闹闹。巨灵神说："让我去把弼马温抓来！"巨灵神来到水帘洞前，对小猴子们大喊道："我是玉皇

是美猴王，猴子們的老祖宗，怎麼騙我到這裡來幫他們養馬，做這個下等人的工作？這個官我不要了！我回家去了！」

孫悟空越說越生氣，就把他的如意金箍棒從耳朵裡取出來，變得很大。他拿著如意金箍棒，到處又打又砸，把喝酒的桌子也打翻了。就這樣，他一路打出天宮，回到了花果山水簾洞，還在外面豎起了一桿大旗，上面寫著"齊天大聖"四個大字，飄揚在水簾洞前。

孫悟空離開天宮的第二天，別的養馬的官員都去向玉皇大帝報告說："弼馬溫嫌他的官太小了，離開天宮回家去了。"玉皇大帝一聽，非常生氣，就說："誰去把弼馬溫抓回來？"托塔李天王和他的三兒子哪吒說："我們去！"玉皇大帝就派他們帶著天兵天將去抓孫悟空。

托塔李天王和哪吒帶領的天兵天將中，有一位叫巨靈神。他們一起飛到了花果山，看到很多小猴子在那裡玩玩鬧鬧。巨靈神說："讓我去把弼馬溫抓來！"巨靈神來到水簾洞前，對小猴子們大喊道："我是玉皇大帝派來的大將，來抓弼馬溫的。你們快叫他出來！"小猴子們一聽，都嚇壞了，趕快回洞，慌慌張張地對孫悟空說："大王，

大帝派来的大将，来抓弼马温的。你们快叫他出来！"小猴子们一听，都吓坏了，赶快回洞，慌慌张张地对孙悟空说："大王，不好了！不好了！玉皇大帝派了天兵天将来抓你了！还叫我们赶快投降！"

孙悟空听了，一点也不害怕、不慌张，说："把我的盔甲拿来。"小猴子们连忙把盔甲拿来，孙悟空穿好了，走出洞去。巨灵神说："我是托塔李天王手下的巨灵神。玉皇大帝派我们来抓你回天宫。你如果聪明的话，就赶快投降吧！"孙悟空听了，非常生气，他大声说："我才不投降呢！你赶快回天宫去，帮我报信，跟玉皇大帝说，如果他想让我回去，就要升我的官，让我做齐天大圣。要不然，我才不回去当那个什么弼马温呢！"巨灵神听了，冷笑一声说："你好狂妄！"他就跟孙悟空来来回回地打起来了，可是打了半天，也打不过孙悟空，只好逃了回去，满脸羞愧地向托塔李天王报告。

托塔李天王的三儿子哪吒听了，说："让我去吧！"他来到了水帘洞前。孙悟空问他："你是谁家的孩子？来我这里做什么？"哪吒说："你这猴子，不认识我。我是托塔李天王的三儿子。玉皇大帝派我来抓你的！"

不好了！不好了！<u>玉皇大帝</u>派了天兵天將來抓你了！還叫我們趕快投降！”

　　<u>孫悟空</u>聽了，一點也不害怕、不慌張，說：“把我的盔甲拿來。”小猴子們連忙把盔甲拿來，<u>孫悟空</u>穿好了，走出洞去。<u>巨靈神</u>說：“我是<u>托塔李天王</u>手下的<u>巨靈神</u>。<u>玉皇大帝</u>派我們來抓你回天宮。你如果聰明的話，就趕快投降吧！”<u>孫悟空</u>聽了，非常生氣，他大聲說：“我才不投降呢！你趕快回天宮去，幫我報信，跟<u>玉皇大帝</u>說，如果他想讓我回去，就要升我的官，讓我做齊天大聖。要不然，我才不回去當那個什麼弼馬溫呢！”<u>巨靈神</u>聽了，冷笑一聲說：“你好狂妄！”他就跟<u>孫悟空</u>來來回回地打起來了，可是打了半天，也打不過<u>孫悟空</u>，只好逃了回去，滿臉羞愧地向<u>托塔李天王</u>報告。

　　<u>托塔李天王</u>的三兒子<u>哪吒</u>聽了，說：“讓我去吧！”他來到了水簾洞前。<u>孫悟空</u>問他：“你是誰家的孩子？來我這裡做什麼？”<u>哪吒</u>說：“你這猴子，不認識我。我是<u>托塔李天王</u>的三兒子。<u>玉皇大帝</u>派我來抓你的！”<u>孫悟空</u>笑著說：“看你像個小孩子，我就不和你打了。你去告訴玉皇老頭兒，趕快讓我做齊天大聖，我就回去。”

孙悟空笑着说："看你像个小孩子，我就不和你打了。你去告诉玉皇老头儿，赶快让我做齐天大圣，我就回去。"

哪吒把他的兵器
变成了成千上万件

哪吒说："你这猴子有什么本领，就敢这么狂妄？"他使出法术，摇身一变，变出了三个脑袋，六条胳臂，每条胳膊拿着一样兵器来和孙悟空作战。可是，他没想到，孙悟空也很厉害，也变出了三个脑袋，六条胳臂，每条胳膊都拿着一根如意金箍棒。哪吒一看，急了，把他的兵器变成了成千上万件，来打孙悟空。没想到，孙悟空也把他的金箍棒变成了成千上万根，来迎战哪吒。

两个人正打得不可开交，满天都是兵器到处乱飞的时候，突然，孙悟空从身上拔下一根毛，吹了口气，喊了一声"变"，这根毛就变成了另一个孙悟空，站在哪吒面前。而真正的孙悟空却已跳到哪吒的后面，对着哪吒的胳膊打了一下。哪吒被打得疼极了，只好飞快地逃跑了。

哪吒說：" 你這猴子有什麼本領，就敢這麼狂妄？"他使出法術，搖身一變，變出了三個腦袋，六條胳臂，每條胳膊拿著一樣兵器來和孫悟空作戰。可是，他沒想到，孫悟空也很厲害，也變出了三個腦袋，六條胳臂，每條胳膊都拿著一根如意金箍棒。哪吒一看，急了，把他的兵器變成了成千上萬件，來打孫悟空。沒想到，孫悟空也把他的金箍棒變成了成千上萬根，來迎戰哪吒。

兩個人正打得不可開交，滿天都是兵器到處亂飛的時候，突然，孫悟空從身上拔下一根毛，吹了口氣，喊了一聲"變"，這根毛就變成了另一個孫悟空，站在哪吒面前。而真正的孫悟空卻已跳到哪吒的後面，對著哪吒的胳膊打了一下。哪吒被打得疼極了，只好飛快地逃跑了。

孫悟空從身上拔下一根毛，
吹了口氣，喊了一聲"變"

哪吒回去向托塔李天王報告說：" 父王！沒想到弼馬溫真的很有本事！我這麼厲害，都打不過他，還被他打傷了胳膊。"

哪吒回去向托塔李天王报告说："父王！没想到弼马温真的很有本事！我这么厉害，都打不过他，还被他打伤了胳膊。"托塔李天王大吃一惊，说："这猴子这么厉害，那我们怎么办呢？"哪吒回答说："他在水帘洞门外竖了一根旗杆，上面写着'齐天大圣'四字。他说如果玉皇大帝封他做齐天大圣，他就不闹事。如果不封，他就要打上天宫！"托塔李天王听了，想了想，说："既然如此，那我们也不要和他打了，就先上天宫去报告玉皇大帝吧。让玉皇大帝多派些天兵天将来抓他。"

回到了天宫，他们向玉皇大帝报告。托塔李天王说："孙悟空本领太大了，我们打不过他，请您多派些天兵天将去抓他吧。"玉皇大帝说："一个猴子，有什么本领？还要多派天兵天将？"哪吒说："那个猴子真的很厉害呢！他的武器是一根可以变大变小的铁棒，他先打败了巨灵神，接着又把我的胳膊打伤了。他的水帘洞外面还竖了一根旗杆，上面写着'齐天大圣'四个大字。他说您要是不让他做齐天大圣，他还要打上天宫来呢。"

玉皇大帝听了，大吃一惊，说："这只猴子怎么这么狂妄！我要马上派天兵天将去把他抓来！"玉皇大帝刚说完，站在旁边的太白金星说："那只猴子就爱吹牛，其实什么都

托塔李天王大吃一驚，說：“這猴子這麼厲害，那我們怎麼辦呢？”哪吒回答說：“他在水簾洞門外豎了一根旗桿，上面寫著‘齊天大聖’四字。他說如果玉皇大帝封他做齊天大聖，他就不鬧事。如果不封，他就要打上天宮！”托塔李天王聽了，想了想，說：“既然如此，那我們也不要和他打了，就先上天宮去報告玉皇大帝吧。讓玉皇大帝多派些天兵天將來抓他。”

回到了天宮，他們向玉皇大帝報告。托塔李天王說：“孫悟空本領太大了，我們打不過他，請您多派些天兵天將去抓他吧。”玉皇大帝說：“一個猴子，有什麼本領？還要多派天兵天將？”哪吒說：“那個猴子真的很厲害呢！他的武器是一根可以變大變小的鐵棒，他先打敗了巨靈神，接著又把我的胳膊打傷了。他的水簾洞外面還豎了一根旗桿，上面寫著‘齊天大聖’四個大字。他說您要是不讓他做齊天大聖，他還要打上天宮來呢。”

玉皇大帝聽了，大吃一驚，說：“這隻猴子怎麼這麼狂妄！我要馬上派天兵天將去把他抓來！”玉皇大帝剛說完，站在旁邊的太白金星說：“那隻猴子就愛吹牛，其實什麼都不懂。我們要是派天兵天將去，一時半

不懂。我们要是派天兵天将去，一时半会儿也打不赢他，还要这么兴师动众。不如您就让他做这个齐天大圣，反正也没有什么事管，您也不用给他薪水。只要他不再闹事，大家平平安安就行了。"玉皇大帝听了，说："这个主意不错。那你去办吧。"

太白金星出了天宫，飞到了花果山。小猴子们进去报告孙悟空，孙悟空马上出来迎接。太白金星看见孙悟空说："大圣，上次您去天宫当弼马温，因为嫌官太小回到了花果山。现在，玉皇大帝要请你去天宫当齐天大圣，这可是个大官了！"

孙悟空一听，非常高兴，马上就和太白金星往天宫飞去。到了天宫，太白金星向玉皇大帝报告说："孙悟空来了！"玉皇大帝说："孙悟空，你过来。今天我让你当齐天大圣。这个官大极了，你可不要闹事了。"孙悟空非常高兴，谢过了玉皇大帝和太白金星，就去了他的齐天大圣宫，请大家来吃饭喝酒，一起庆祝。

會兒也打不贏他，還要這麼興師動眾。不如您就讓他做這個齊天大聖，反正也沒有什麼事管，您也不用給他薪水。只要他不再鬧事，大家平平安安就行了。"玉皇大帝聽了，說："這個主意不錯。那你去辦吧。"

太白金星出了天宮，飛到了花果山。小猴子們進去報告孫悟空，孫悟空馬上出來迎接。太白金星看見孫悟空說："大聖，上次您去天宮當弼馬溫，因為嫌官太小回到了花果山。現在，玉皇大帝要請你去天宮當齊天大聖，這可是個大官了！"

孫悟空一聽，非常高興，馬上就和太白金星往天宮飛去。到了天宮，太白金星向玉皇大帝報告說："孫悟空來了！"玉皇大帝說："孫悟空，你過來。今天我讓你當齊天大聖。這個官大極了，你可不要鬧事了。"孫悟空非常高興，謝過了玉皇大帝和太白金星，就去了他的齊天大聖宮，請大家來吃飯喝酒，一起慶祝。

可是，孫悟空不知道這個"齊天大聖"官職究竟有多大，也不知道要管些什麼事，有多少薪水。

可是，孙悟空不知道这个"齐天大圣"官职究竟有多大，也不知道要管些什么事，有多少薪水。他就每天吃吃睡睡、无忧无虑、自由自在。有空的时候就去到处拜访各位神仙，结交朋友，过得很是悠闲自在。玉皇大帝怕孙悟空惹是生非，就派他去管理蟠桃园。蟠桃园里有三千六百棵蟠桃树，都是王母娘娘种的，桃树上结的桃子吃了可以长生不老。

一天，孙悟空来蟠桃园里巡视，发现桃子大部分都熟了，他嘴馋很想吃，就对跟随着的其他官员说："你们先出去吧。我想在园子里睡一会儿。"大家都走了以后，孙悟空就脱去官服，爬上一棵最大的桃树，把那些熟透了的又大又红的蟠桃摘下来，美美地吃了一顿。吃饱了，就跳下树来，穿好衣服回家了。就这样，每过两三天，孙悟空就来偷吃一次蟠桃，日子过得快活极了。

他就每天吃吃睡睡、無憂無慮、自由自在。有空的時候就去到處拜訪各位神仙，結交朋友，過得很是悠閒自在。玉皇大帝怕孫悟空惹是生非，就派他去管理蟠桃園。蟠桃園裡有三千六百棵蟠桃樹，都是王母娘娘種的，桃樹上結的桃子吃了可以長生不老。

　　一天，孫悟空來蟠桃園裡巡視，發現桃子大部分都熟了，他嘴饞很想吃，就對跟隨著的其他官員說："你們先出去吧。我想在園子裡睡一會兒。"大家都走了以後，孫悟空就脫去官服，爬上一棵最大的桃樹，把那些熟透了的又大又紅的蟠桃摘下來，美美地吃了一頓。吃飽了，就跳下樹來，穿好衣服回家了。就這樣，每過兩三天，孫悟空就來偷吃一次蟠桃，日子過得快活極了。

　　一天，王母娘娘要開蟠桃勝會，宴請神仙們來品嘗鮮桃。她派了七個仙女去蟠桃園摘桃子。仙女們來到園子門口，發現管園子的幾個官員都站在那裡。

一天，王母娘娘要开蟠桃胜会，宴请神仙们来品尝鲜桃。她派了七个仙女去蟠桃园摘桃子。仙女们来到园子门口，发现管园子的几个官员都站在那里。仙女们走过去说："王母娘娘派我们来摘蟠桃。"官员们说："那我们要先报告齐天大圣。"他们走进园子，却到处都找不到孙悟空。原来孙悟空玩儿了一会儿，又吃了几个桃子，变成一个两寸长的小人儿，在桃树枝头的树叶下睡着了。

仙女们很着急地说："找不到大圣，我们摘不成桃子，怎么办呢？"管桃园的官员们说："不用着急。大圣不在，可能是到园子外面会朋友去了。你们先去摘桃子吧，等大圣回来了，我们再向他报告就行了。"仙女们听了，就去摘蟠桃，可是找来找去都只有些青色的小桃子，原来熟了的桃子都被孙悟空吃掉了。

仙女们东张西望，发现了一只半红半白的桃子。她们过去摘，没想到孙悟空正好在这根树枝上睡

仙女們走過去說："王母娘娘派我們來摘蟠桃。"官員們說："那我們要先報告齊天大聖。"他們走進園子，却到處都找不到孫悟空。原來孫悟空玩兒了一會兒，又吃了幾個桃子，變成一個兩寸長的小人兒，在桃樹枝頭的樹葉下睡著了。

仙女們很著急地說："找不到大聖，我們摘不成桃子，怎麼辦呢？"管桃園的官員們說："不用著急。大聖不在，可能是到園子外面會朋友去了。你們先去摘桃子吧，等大聖回來了，我們再向他報告就行了。"仙女們聽了，就去摘蟠桃，可是找來找去都只有些青色的小桃子，原來熟了的桃子都被孫悟空吃掉了。

仙女們東張西望，發現了一隻半紅半白的桃子。她們過去摘，沒想到孫悟空正好在這根樹枝上睡覺，她們一摘桃子就把他驚醒了。孫悟空跳起來說："你們是誰？哪里來的？怎麼來偷我的桃子？"仙女們嚇了一跳，趕快

觉，她们一摘桃子就把他惊醒了。孙悟空跳起来说："你们是谁？哪里来的？怎么来偷我的桃子？"仙女们吓了一跳，赶快告诉孙悟空蟠桃胜会的事情。孙悟空一听，忙问："王母娘娘的蟠桃胜会请了谁？"仙女们说："请了很多很多神仙。"孙悟空笑着问："请我了吗？"仙女们说："好像没有听说。"

孙悟空一听，马上就往开蟠桃胜会的瑶池飞去。到了瑶池一看，到处都是好吃的，还有很多美酒佳肴。孙悟空跑进去大吃了一顿，又偷喝了很多仙酒。

孙悟空喝得醉醺醺的，摇摇晃晃地往回走，可是走错了，走到太上老君家里去了。太上老君正好不在家，孙悟空发现了他的仙丹，就都倒出来吃了。吃完了仙丹，孙悟空的酒醒了，知道自己闯下了大祸，吓得说："不好！不好！玉皇大帝要来抓我了。不如我赶快跑吧。"于是，孙悟空又飞回了花果山。

告訴孫悟空蟠桃勝會的事情。孫
悟空一聽，忙問：“王母娘娘的
蟠桃勝會請了誰？”仙女們說：
“請了很多很多神仙。”孫悟空笑
著問：“請我了嗎？”仙女們說：
“好像沒有聽說。”

孫悟空一聽，馬上就往開蟠
桃勝會的瑤池飛去。到了瑤池一
看，到處都是好吃的，還有很多
美酒佳肴。孫悟空跑進去大吃了
一頓，又偷喝了很多仙酒。

孫悟空喝得醉醺醺的，搖搖
晃晃地往回走，可是走錯了，走
到太上老君家裡去了。太上老
君正好不在家，孫悟空發現了他
的仙丹，就都倒出來吃了。吃完
了仙丹，孫悟空的酒醒了，知道
自己闖下了大禍，嚇得說：“不
好！不好！玉皇大帝要來抓我
了。不如我趕快跑吧。”于是，孫
悟空又飛回了花果山。

Vocabulary List

	SIMPLIFIED CHARACTERS	TRADITIONAL CHARACTERS	PINYIN	PART OF SPEECH	ENGLISH DEFINITION
1	如意金箍棒	如意金箍棒	*rúyì jīngū bàng*	n.	the will-following golden-banded staff
2	如虎添翼	如虎添翼	*rú hǔ tiān yì*	expr.	like a tiger with wings, greatly reinforced
3	金星大仙	金星大仙	*Jīnxīng Dàxiān*	pn.	the Great Immortal Jinxing
4	弼马温	弼馬溫	*Bìmǎwēn*	pn.	Officer of Horses
5	上任	上任	*shàngrèn*	vo.	to take office
6	兢兢业业	兢兢業業	*jīngjīng yèyè*	adj.	cautious and conscientious
7	表扬	表揚	*biǎoyáng*	n./v.	(to) praise
8	惩罚	懲罰	*chéngfá*	v.	to punish
9	大发雷霆	大發雷霆	*dàfā léitíng*	expr.	to be furious
10	竖起	竪起	*shùqǐ*	vc.	to put up
11	齐天大圣	齊天大聖	*Qítiān Dàshèng*	pn.	Great Sage Equal to Heaven
12	飘扬	飄揚	*piāoyáng*	v.	to flutter in the wind

	SIMPLIFIED CHARACTERS	TRADITIONAL CHARACTERS	PINYIN	PART OF SPEECH	ENGLISH DEFINITION
13	嫌	嫌	xián	v.	to feel an aversion to
14	托塔李天王	托塔李天王	Tuōtǎ Lǐ Tiānwáng	pn.	Heavenly King Li with a pagoda in his hand
15	哪吒	哪吒	Nézhā	pn.	(name of King Li's son)
16	巨灵神	巨靈神	Jùlíng Shén	pn.	(name of a god)
17	投降	投降	tóuxiáng	v.	to surrender
18	盔甲	盔甲	kuījiǎ	n.	armor
19	狂妄	狂妄	kuángwàng	adj.	full of conceit, arrogant
20	摇身一变	搖身一變	yáoshēn yībiàn	vc.	to suddenly transform oneself
21	胳臂	胳臂	gēbei	n.	arm
22	迎战	迎戰	yíngzhàn	vo.	to meet an enemy head on
23	不可开交	不可開交	bùkě kāijiāo	expr.	in a titanic struggle for sth.
24	吹了口气	吹了口氣	chuīle kǒuqì	vo.	to blow
25	本事	本事	běnshi	n.	skills, abilities
26	旗杆	旗桿	qígān	n.	flagpole

	SIMPLIFIED CHARACTERS	TRADITIONAL CHARACTERS	PINYIN	PART OF SPEECH	ENGLISH DEFINITION
27	封	封	fēng	v.	to grant, to confer
28	既然如此	既然如此	jìrán rúcǐ	expr.	since it is so, now that
29	太白金星	太白金星	Tàibái Jīnxīng	pn.	(name of the Great Immortal Jinxiing)
30	吹牛	吹牛	chuīniú	vo.	to brag
31	兴师动众	興師動眾	xīngshī dòngzhòng	expr.	to mobilize forces
32	薪水	薪水	xīnshuǐ	n.	salary
33	究竟	究竟	jiūjìng	adv.	actually, after all
34	无忧无虑	無憂無慮	wúyōu wúlǜ	expr.	carefree and light-hearted
35	拜访	拜訪	bàifǎng	v.	to visit
36	悠闲自在	悠閑自在	yōuxián zìzài	expr.	carefree
37	蟠桃园	蟠桃園	Pántáo Yuán	pn.	Garden of Flat Peaches
38	巡视	巡視	xúnshì	v.	to patrol
39	嘴馋	嘴饞	zuǐchán	adj.	gluttonous
40	熟透	熟透	shútòu	vc.	to ripen

	SIMPLIFIED CHARACTERS	TRADITIONAL CHARACTERS	PINYIN	PART OF SPEECH	ENGLISH DEFINITION
41	蟠桃胜会	蟠桃勝會	*Pántáo Shènghuì*	pn.	the Grand Festival of Flat Peaches
42	宴请	宴請	*yànqǐng*	v.	to invite to a banquet
43	品尝	品嘗	*pǐncháng*	v.	to taste
44	东张西望	東張西望	*dōngzhāng xīwàng*	expr.	to glance this way and that
45	瑶池	瑤池	*Yáo Chí*	pn.	Jasper Lake
46	美酒佳肴	美酒佳肴	*měijiǔ jiāyáo*	expr.	excellent wine and delicious dishes
47	太上老君	太上老君	*Tàishàng Lǎojūn*	pn.	(title of respect for Taoist deity associated with Laozi)
48	仙丹	仙丹	*xiāndān*	n.	pills of immortality
49	酒醒	酒醒	*jiǔxǐng*	v.	to awake from a drunken stupor
50	闯下了大祸	闖下了大禍	*chuǎngxià le dàhuò*	vo.	to get into serious trouble

Questions

1. 孙悟空的第一份工作是什么？他为什么
   不做了？
   孫悟空的第一份工作是什麼？他為什麼
   不做了？

2. 孙悟空的第二份工作是什么？他闯了什么
   大祸？
   孫悟空的第二份工作是什麼？他闖了
   什麼大禍？

3. Why did the Heavenly King repeatedly offer jobs to the
   Monkey King?

4. How many legendary figures in *Journey to the West* do you
   know from other Chinese stories, such as those in previous
   volumes of *Tales and Traditions*? What do you know about
   them, and do they seem similar or different across the
   different stories?

9

The Story of the
Monkey King (Part 3)

孙悟空的故事（下）
孫悟空的故事（下）

孙悟空的故事（下）
孫悟空的故事（下）

王母娘娘和玉皇大帝看到孙悟空做了这么多坏事，都非常生气，他们派了很多天兵天将，要把孙悟空抓回来。可是这些天兵天将都打不过孙悟空，他们只好把花果山包围起来。

观音菩萨知道这件事以后，就去见玉皇大帝。玉皇大帝说："这猴子本领很高，天兵天将都打不过他，你看怎么办？"观音菩萨想了想，说："不如请二郎神去试一试吧。"

玉皇大帝就派人去请二郎神，要他去抓孙悟空。二郎神一到花果山，就跟孙悟空打起来了。打了半天，两个人也分不出胜负。二郎神摇身一变，变得好像一座山一样高，可是孙悟空一点也不害怕，他变得比他更加高大。这时候，二郎神的士兵就去抓那些小猴子们，孙悟空一看，连忙跑回去。二郎神追过来，孙悟空只好变成一只麻雀，飞走了。二郎神

王母娘娘和玉皇大帝看到孫悟空做了這麼多壞事，都非常生氣，他們派了很多天兵天將，要把孫悟空抓回來。可是這些天兵天將都打不過孫悟空，他們只好把花果山包圍起來。

觀音菩薩知道這件事以後，就去見玉皇大帝。玉皇大帝說："這猴子本領很高，天兵天將都打不過他，你看怎麼辦？"觀音菩薩想了想，說："不如請二郎神去試一試吧。"

玉皇大帝就派人去請二郎神，要他去抓孫悟空。二郎神一到花果山，就跟孫悟空打起來了。打了半天，兩個人也分不出勝負。二郎神搖身一變，變得好像一座山一樣高，可是孫悟空一點也不害怕，他變得比他更加高大。這時候，二郎神的士兵就去抓那些小猴子們，孫悟空一看，連忙跑

马上变成了一只老鹰追上去。孙悟空又变成一条鱼在水里游，二郎神就变成一只鱼鹰来吃鱼。

孙悟空又变成一只鸟，飞上了岸。二郎神就变出一只弹弓来打鸟。孙悟空连忙滚下山坡，变成了一座庙，嘴巴变成庙门，眼睛变成窗子，尾巴变成旗杆，竖在后面。二郎神来了一看就笑，说："这肯定是猴子变的。哪有旗杆竖在后面的庙？让我来把这座庙的门窗都打破吧。"孙悟空一听，赶快飞到空中去了，又飞到二郎神家里，变成了二郎神的模样。

二郎神赶回家中，又和孙悟空打了起来。太上老君在天上看到了，把他的宝贝"金刚圈"丢了下去，正好打中了孙悟空的头。孙悟空没有防备，摔了一跤，又被二郎神的狗追过来，在腿上咬了一口。就这样，孙悟空被抓起来带回了天宫。可是孙悟空吃了蟠桃，喝了仙酒，又吃了太上老君的仙丹，刀枪不入，水火不进，大家都不知道该把他怎么办才好。

太上老君说："我有一个办法。可以把这猴子放在我的炼丹炉里烧，过了七七四十九天，肯定烧成了灰烬。"玉皇大帝同意了。

回去。二郎神追過來，孫悟空只好變成一隻麻雀，飛走了。二郎神馬上變成了一隻老鷹追上去。孫悟空又變成一條魚在水裡游，二郎神就變成一隻魚鷹來吃魚。

孫悟空又變成一隻鳥，飛上了岸。二郎神就變出一隻彈弓來打鳥。孫悟空連忙滾下山坡，變成了一座廟，嘴巴變成廟門，眼睛變成窗子，尾巴變成旗桿，竪在後面。二郎神來了一看就笑，說："這肯定是猴子變的。哪有旗桿竪在後面的廟？讓我來把這座廟的門窗都打破吧。"孫悟空一聽，趕快飛到空中去了，又飛到二郎神家裡，變成了二郎神的模樣。

二郎神趕回家中，又和孫悟空打了起來。太上老君在天上看到了，把他的寶貝"金剛圈"丟了下去，正好打中了孫悟空的頭。孫悟空沒有防備，摔了一跤，又被二郎神的狗追過來，在腿上咬了一口。就這樣，孫悟空被抓起來帶回了天宮。可是孫悟空吃了蟠桃，喝了仙酒，又吃了太上老君的仙丹，刀槍不入，水火不進，大家都不知道該把他怎麼辦才好。

太上老君說："我有一個辦法。可以把這猴子放在我的煉丹爐裡燒，過了七七四十九天，肯定燒成了灰燼。"玉皇大帝

太上老君就把孙悟空带回去，放在炼丹炉里，用最大的火烧了四十九天。可是，孙悟空不但没有变成灰烬，反而烧出了一双火眼金睛。他跳出太上老君的炉子，挥舞着金箍棒，到处乱打，先把炼丹炉打倒了，再把天宫里里外外打得一团糟。

玉皇大帝没有办法，赶快叫人去西天请如来佛来帮忙。如来佛来到了天宫，对孙悟空说："我们打个赌吧，如果你能飞出我的手掌心，就算你赢了。"孙悟空觉得好笑，心想：我翻一个跟斗就能飞出十万八千里，你这个手掌算什么，我一定会赢的。于是，他说："赌就赌！我肯定能赢！你肯定要输！"

于是，如来佛伸开手掌，孙悟空跳上掌心，飞快地翻着筋斗云，在空中飞了很久，看见了五根高大的红柱子，说："这肯定是

同意了。太上老君就把孫悟空帶回去，放在煉丹爐裡，用最大的火燒了四十九天。可是，孫悟空不但沒有變成灰燼，反而燒出了一雙火眼金睛。他跳出太上老君的爐子，揮舞著金箍棒，到處亂打，先把煉丹爐打倒了，再把天宮裡裡外外打得一團糟。

玉皇大帝沒有辦法，趕快叫人去西天請如來佛來幫忙。如來佛來到了天宮，對孫悟空說："我們打個賭吧，如果你能飛出我的手掌心，就算你贏了。"孫悟空覺得好笑，心想：我翻一個跟斗就能飛出十萬八千里，你這個手掌算什麼，我一定會贏的。于是，他說："賭就賭！我肯定能贏！你肯定要輸！"

于是，如來佛伸開手掌，孫悟空跳上掌心，飛快地翻著筋斗雲，在空中飛了很久，看見了五根高大的紅柱子，說："這肯定是撐天的柱子了。我要在這兒留下點兒記號，以後好做證明，免得如來佛要賴。"說完，他就把金箍棒變成了一支

齊天大聖
到此一遊

撑天的柱子了。我要在这儿留下点儿记号，以后好做证明，免得如来佛要赖。"说完，他就把金箍棒变成了一支毛笔，在中间的那个红柱子上写了"齐天大圣到此一游"八个大字。

然后，孙悟空又飞了回去，对如来佛说："我已经飞到了天边了，还见到了撑天的柱子呢！"如来佛说："真的吗？其实你还没有飞出我的掌心呢！"孙悟空低头一看，发现如来佛右手的中指上写着"齐天大圣到此一游"八个大字。孙悟空大吃一惊，又要飞起来再去看看到底是怎么回事，可是如来佛翻过手掌，一下就把孙悟空推下了天宫，还把他压在一座大山下面，让他在里面反思自己做错的事情，等到五百年后唐僧来救他，一同去西天取经。

毛筆，在中間的那個紅柱子上寫了"齊天大聖到此一遊"八個大字。

然後，孫悟空又飛了回去，對如來佛說："我已經飛到了天邊了，還見到了撐天的柱子呢！"如來佛說："真的嗎？其實你還沒有飛出我的掌心呢！"孫悟空低頭一看，發現如來佛右手的中指上寫著"齊天大聖到此一遊"八個大字。孫悟空大吃一驚，又要飛起來再去看看到底是怎麼回事，可是如來佛翻過手掌，一下就把孫悟空推下了天宮，還把他壓在一座大山下面，讓他在裡面反思自己做錯的事情，等到五百年後唐僧來救他，一同去西天取經。

Vocabulary List

	SIMPLIFIED CHARACTERS	TRADITIONAL CHARACTERS	PINYIN	PART OF SPEECH	ENGLISH DEFINITION
1	包围	包圍	*bāowéi*	v.	to surround
2	观音菩萨	觀音菩薩	*Guānyīn Púsà*	pn.	Bodhisattva Guanyin
3	二郎神	二郎神	*Èrláng Shén*	pn.	(name of a god)
4	分不出胜负	分不出勝負	*fēnbuchū shèngfù*	expr.	hard to decide the winner
5	麻雀	麻雀	*máquè*	n.	sparrow
6	老鹰	老鷹	*lǎoyīng*	n.	eagle
7	鱼鹰	魚鷹	*yúyīng*	n.	osprey
8	弹弓	彈弓	*dàngōng*	n.	slingshot
9	金刚圈	金剛圈	*jīngāng quān*	n.	diamond ring (a type of weapon)
10	打中	打中	*dǎzhòng*	vc.	to hit the target
11	防备	防備	*fángbèi*	v.	to guard against
12	摔了一跤	摔了一跤	*shuāile yìjiāo*	vo.	to slip and fall
13	刀枪不入	刀槍不入	*dāoqiāng bùrù*	expr.	able to withstand daggers and gunshots
14	水火不进	水火不進	*shuǐhuǒ bùjìn*	expr.	able to withstand water and fire

	SIMPLIFIED CHARACTERS	TRADITIONAL CHARACTERS	PINYIN	PART OF SPEECH	ENGLISH DEFINITION
15	炼丹炉	煉丹爐	liàndān lú	n.	oven used to make pills of immortality
16	七七	七七	qī qī	n.	seven sevens*
17	灰烬	灰燼	huījìn	n.	ashes
18	火眼金睛	火眼金睛	huǒyǎn jīnjīng	n.	fiery eyes and golden pupils
19	挥舞	揮舞	huīwǔ	v.	to brandish, to wave
20	一团糟	一團糟	yītuán zāo	n.	a mess
21	如来佛	如來佛	Rúlái Fó	pn.	Tathagata Buddha
22	打个赌	打個賭	dǎ ge dǔ	vo.	to make a bet
23	手掌心	手掌心	shǒuzhǎng xīn	n.	center of the palm
24	伸开	伸開	shēnkāi	vc.	to stretch out
25	红柱子	紅柱子	hóng zhùzi	n.	red pillar
26	撑天	撐天	chēngtiān	vo.	to support the sky
27	耍赖	耍賴	shuǎlài	v.	to deny shamelessly
28	毛笔	毛筆	máobǐ	n.	calligraphy brush
29	到此一游	到此一遊	dàocǐ yīyóu	expr.	to pay a visit

*According to Chinese tradition, one funerary ceremony is to be held every seven days, spanning over a total of forty-nine days.

	SIMPLIFIED CHARACTERS	TRADITIONAL CHARACTERS	PINYIN	PART OF SPEECH	ENGLISH DEFINITION
30	翻过手掌	翻過手掌	fānguò shǒuzhǎng	vo.	to turn the palm over
31	推下	推下	tuīxià	vc.	to push down
32	反思	反思	fǎnsī	v.	to reflect

Questions

1. 孙悟空跟二郎神对打的时候变化了几次？
他们先后变成了什么？
孫悟空跟二郎神對打的時候變化了幾次？他們先後變成了什麼？

2. 孙悟空被抓回天宫以后受到了什么惩罚？
他最后逃走了吗？
孫悟空被抓回天宮以後受到了什麼懲罰？他最後逃走了嗎？

3. What made Monkey King so angry and rebellious towards the Heavenly King?

4. The story of the Monkey King in this unit covers many of the events in the Chinese animated film *Havoc in Heaven* (大闹天宫 / 大鬧天宮), created in the 1960s. What is the significance of this film in the era in which it was produced?

5. In the story "Zhu Bajie Takes a Wife" (猪八戒娶亲 / 豬八戒娶親) from *Tales and Traditions*, Volume 3, you might know about what happens later on in *Journey to the West*. What do you think happens in between these two stories in this novel?

IV

Water Margin

《水浒传》
《水滸傳》

Excerpts from *Water Margin*

《水浒传》节选改编
《水滸傳》節選改編

Shī Nài'ān (1296–1372)

施耐庵
施耐庵

Water Margin (《水浒传》 / 《水浒 传》) (Shuǐhǔ Zhuàn), another of the Four Great Classical Novels of Chinese literature, is written in vernacular Chinese and is believed to have been authored by Shi Nai'an. The story narrates the rise and fall of a group of outlaws who, from their encampment in Liangshan Marsh, seek to "right wrongs in accordance with the Decree of Heaven." Attacking the powerful and helping the poor, they wage war on tyrannical and corrupt Song dynasty officials. The high-ranking official Gao Qiu (高俅) (Gāo Qiú), their main antagonist, represents not just the Song dynasty but all evil. The outlaws are successful in their protracted war: the imperial forces repeatedly fail to suppress them and, eventually, the dynasty grants them amnesty and the opportunity to form their own company in the imperial army. In time, most of the outlaws perish in battle under the imperial banner, and their leader, Song Jiang (宋江) (Sòng Jiāng), is poisoned to death by the Emperor, bringing a tragic conclusion to this classic tale of peasant uprising.

水浒传
（上）

水滸傳
（上）

10

Water Margin (Part 1)

《水浒传》（上）
《水滸傳》（上）

梁山泊一百零八将
梁山泊一百零八將

在中国古典小说中，《水浒传》是四大名著之一，它取材于北宋末年宋江起义的故事，记叙了一百零八个英雄在这次起义中的事迹。这些英雄们的生活经历各异，年龄大小不同，但都被官府逼得无路可走，最后一起聚集在梁山，成了一支人们喜爱的农民起义军。他们对抗官府、劫富济贫、帮助老百姓；他们还讲究忠和义，爱打抱不平。忠就是对自己的亲人和朋友忠诚，尽心尽力，绝不背叛。义就是正义，拥有强烈的正义感，爱憎分明，帮助弱者，打击坏人，必要的时候甚至可以献出自己的生命。

在宋朝末年，老百姓的生活很艰苦，他们吃不饱、穿不暖，还不断受到官府的欺压。高俅一伙就是当时官府的代表。他们欺压老百姓，为所欲为，凶狠无情。那时候，有

在中國古典小說中，《水滸傳》是四大名著之一，它取材于北宋末年宋江起義的故事，記敘了一百零八個英雄在這次起義中的事蹟。這些英雄們的生活經歷各異，年齡大小不同，但都被官府逼得無路可走，最後一起聚集在梁山，成了一支人們喜愛的農民起義軍。他們對抗官府、劫富濟貧、幫助老百姓；他們還講究忠和義，愛打抱不平。忠就是對自己的親人和朋友忠誠，盡心盡力，絕不背叛。義就是正義，擁有強烈的正義感，愛憎分明，幫助弱者，打擊壞人，必要的時候甚至可以獻出自己的生命。

在宋朝末年，老百姓的生活很艱苦，他們吃不飽、穿不暖，還不斷受到官府的欺壓。高俅一夥就是當時官府的代表。他們欺壓老百姓，為所欲為，凶狠無情。那時候，有一些勇敢的好漢站起來與

仗义疏财

一些勇敢的好汉站起来与官府抗争，帮助穷苦的老百姓，却因此成了官府的"罪犯"，被到处追捕。他们无家可归，到处躲藏，有时躲在山上或者树林里，因此被人们称为"绿林好汉"。因为官府仇恨这些好汉，把他们当作最危险的敌人，所以他们不但要捉拿这些绿林好汉，还要捉拿那些跟绿林好汉关系密切的人。

《水浒传》里的人物个个都是英雄好汉，首领们也都很有聪明才智。宋江是《水浒传》里的中心人物，也是梁山泊一百零八将中的主要首领。他强调忠孝、仁义、仗义疏财、救危扶困，被称为"山东及时雨"。卢俊义是梁山泊的另一个主要首领。他为人正派，受到老百姓的爱戴。开始时，他本不愿意上梁山，但后来被人陷害，进了监狱；他的妻子跟别人走了；财产也被人霸占了，当他最后被人从监狱里救出来以后，就马上

官府抗爭，幫助窮苦的老百姓，却因此成了官府的"罪犯"，被到處追捕。他們無家可歸，到處躲藏，有時躲在山上或者樹林裡，因此被人們稱為"綠林好漢"。因為官府仇恨這些好漢，把他們當作最危險的敵人，所以他們不但要捉拿這些綠林好漢，還要捉拿那些跟綠林好漢關係密切的人。

《水滸傳》裡的人物個個都是英雄好漢，首領們也都很有聰明才智。宋江是《水滸傳》裡的中心人物，也是梁山泊一百零八將中的主要首領。他強調忠孝、仁義、仗義疏財、救危扶困，被稱為"山東及時雨"。盧俊義是梁山泊的另一個主要首領。他為人正派，受到老百姓的愛戴。開始時，他本不願意上梁山，但後來被人陷害，進了監獄；他的妻子跟別人走了；財產也被人霸占了，

救危扶困

投靠了梁山，成了梁山泊第二位好汉。梁山泊第三位好汉叫<u>吴用</u>，他先前是一个教师，非常聪明，点子很多，到了梁山以后，当了<u>宋江</u>的军师，出了很多主意和策略。梁山泊第四位好汉叫<u>公孙胜</u>，他能呼风唤雨，布阵排兵，是梁山重要领导人之一。<u>柴进</u>以前本来是帝王的后代，但因被人迫害，最后被梁山好汉救上山去，在梁山排名第十。

另外还有<u>阮氏三雄</u>，指的是<u>阮小二</u>、<u>阮小五</u>、<u>阮小七</u>。他们本来都是梁山泊附近的渔民，因为受官府压迫，无法打鱼，只好投靠梁山，后来他们与<u>李俊</u>、<u>张横</u>、<u>张顺</u>共同率领水军，多次建功，因此分别排名第二十七、二十九、三十一。<u>解珍</u>、<u>解宝</u>本来是猎人，因为奉命捕获一只老虎，被坏人诬赖，关进了监狱，差点儿被处死。被人救出来以后，就一起上了梁山，他们分别排名第三十四、三十五。

當他最後被人從監獄裡救出來以後，就馬上投靠了梁山，成了梁山泊第二位好漢。梁山泊第三位好漢叫吳用，他先前是一個教師，非常聰明，點子很多，到了梁山以後，當了宋江的軍師，出了很多主意和策略。梁山泊第四位好漢叫公孫勝，他能呼風喚雨，布陣排兵，是梁山重要領導人之一。柴進以前本來是帝王的後代，但因被人迫害，最後被梁山好漢救上山去，在梁山排名第十。

另外還有阮氏三雄，指的是阮小二、阮小五、阮小七。他們本來都是梁山泊附近的漁民，因為受官府壓迫，無法打魚，只好投靠梁山，後來他們與李俊、張橫、張順共同率領水軍，多次建功，因此分別排名第二十七、二十九、三十一。解珍、解寶本來是獵人，因為奉命捕獲一隻老虎，被壞人誣賴，關進了監獄，差點兒被處死。被人救出來以後，就一起上了梁山，他們分別排名第三十四、三十五。

燕青本来是卢俊义的小管家，他相貌英俊，武艺精通，善于摔跤相扑，上山以后，他排名第三十六。扈三娘是梁山泊武功最强、最漂亮的女将。她本来是梁山附近扈家庄大地主的小姐，身材苗条，姿色秀丽，武功高强。上山以后，她排名第三十七。时迁骨软身体健，眉浓眼睛尖，样子像猴子，走路像飞鸟一样快。上山以后，他排名一百零七，是倒数第二位。

　　中国人非常喜爱梁山泊好汉和他们的经历，下面的章节里会简单地介绍几个最引人入胜的故事。

燕青本來是盧俊義的小管家，他相貌英俊，武藝精通，善于摔跤相撲，上山以後，他排名第三十六。扈三娘是梁山泊武功最強、最漂亮的女將。她本來是梁山附近扈家莊大地主的小姐，身材苗條，姿色秀麗，武功高強。上山以後，她排名第三十七。時遷骨軟身體健，眉濃眼睛尖，樣子像猴子，走路像飛鳥一樣快。上山以後，他排名一百零七，是倒數第二位。

　　中國人非常喜愛梁山泊好漢和他們的經歷，下面的章節裡會簡單地介紹幾個最引人入勝的故事。

Vocabulary List

	SIMPLIFIED CHARACTERS	TRADITIONAL CHARACTERS	PINYIN	PART OF SPEECH	ENGLISH DEFINITION
1	北宋	北宋	*Běi Sòng*	pn.	Northern Song (dynasty)
2	起义	起義	*qǐyì*	n.	revolt, uprising
3	记叙	記叙	*jìxù*	v.	to narrate
4	事迹	事蹟	*shìjì*	n.	deeds, achievements
5	劫富济贫	劫富濟貧	*jiéfù jìpín*	expr.	to rob the rich and help the poor
6	打抱不平	打抱不平	*dǎbào bùpíng*	expr.	to help victims of injustice
7	绝不背叛	絕不背叛	*juébù bèipàn*	expr.	to never betray
8	正义	正義	*zhèngyì*	n.	righteousness, justice
9	爱憎分明	愛憎分明	*àizēng fēnmíng*	expr.	clear about what to love and what to hate
10	献出	獻出	*xiànchū*	vc.	to devote, to sacrifice
11	欺压	欺壓	*qīyā*	v.	to bully

	SIMPLIFIED CHARACTERS	TRADITIONAL CHARACTERS	PINYIN	PART OF SPEECH	ENGLISH DEFINITION
12	为所欲为	為所欲為	*wéi suǒ yù wéi*	expr.	to do as one pleases
13	凶狠无情	凶狠無情	*xiōnghěn wúqíng*	adj.	fierce and ruthless
14	抗争	抗爭	*kàngzhēng*	v.	to resist, to struggle against
15	罪犯	罪犯	*zuìfàn*	n.	criminal
16	才智	才智	*cáizhì*	n.	intelligence and talent
17	忠孝	忠孝	*zhōngxiào*	n.	loyalty and filial piety
18	仁义	仁義	*rényì*	n.	benevolence and righteousness
19	仗义疏财	仗義疏財	*zhàngyì shūcái*	expr.	to be generous in aiding the poor
20	救危扶困	救危扶困	*jiùwēi fúkùn*	expr.	to rescue those in danger and help those in need
21	山东及时雨	山東及時雨	*Shāndōng jíshí yǔ*	n.	Timely Rain in Shandong (a nickname)

		SIMPLIFIED CHARACTERS	TRADITIONAL CHARACTERS	PINYIN	PART OF SPEECH	ENGLISH DEFINITION
22		卢俊义	盧俊義	Lú Jùnyi	pn.	(name of a person)
23		爱戴	愛戴	àidài	v.	to love and esteem
24		陷害	陷害	xiànhài	v.	to make false charges against
25		监狱	監獄	jiānyù	n.	prison
26		霸占	霸占	bàzhàn	v.	to forcibly occupy
27		军师	軍師	jūnshī	n.	military counselor
28		策略	策略	cèlüè	n.	tactics and strategies
29		呼风唤雨	呼風喚雨	hūfēng huànyǔ	expr.	to summon wind and rain, to employ magical powers
30		布阵排兵	布陣排兵	bùzhèn páibīng	expr.	to marshal soldiers in rank for battle
31		柴进	柴進	Chái Jìn	pn.	(name of a person)
32		率领	率領	shuàilǐng	v.	to lead, to command
33		解珍	解珍	Xiè Zhēn	pn.	(name of a person)

	SIMPLIFIED CHARACTERS	TRADITIONAL CHARACTERS	PINYIN	PART OF SPEECH	ENGLISH DEFINITION
34	解宝	解寶	Xiè Bǎo	pn.	(name of a person)
35	奉命	奉命	fèngmìng	vo.	to follow orders, to carry out orders
36	捕获	捕獲	bǔhuò	vc.	to capture
37	诬赖	誣賴	wūlài	v.	to malign
38	相貌英俊	相貌英俊	xiàngmào yīngjùn	adj.	good-looking
39	摔跤相扑	摔跤相撲	shuāijiāo xiàngpū	n.	wrestling
40	扈三娘	扈三娘	Hù Sānniáng	pn.	(name of a person)
41	扈家庄	扈家莊	Hù jiāzhuāng	pn.	Hu village
42	姿色	姿色	zīsè	n.	good looks (of a woman)
43	时迁	時遷	Shí Qiān	pn.	(name of a person)
44	引人入胜	引人入勝	yǐnrén rùshèng	adj.	attractive, enticing

Questions

1. 《水浒传》里的故事发生在什么时候？
   里面有多少英雄好汉？

   《水滸傳》裡的故事發生在什麼
   時候？裡面有多少英雄好漢？

2. 《水浒传》里英雄好汉是怎样被逼上
   梁山的？为什么老百姓都很喜爱他们？

   《水滸傳》裡英雄好漢是怎樣被逼
   上梁山的？為什麼老百姓都很喜愛
   他們？

3. The *Water Margin* heroes are often compared to Robin
   Hood in Western literature. Do you agree with this
   comparison? Why or why not?

4. The *Water Margin* heroes had a political agenda typical
   of peasant uprisings. Can you provide an example from
   the text that accurately illustrates this agenda?

11

Water Margin (Part 2)

《水浒传》 （中）
《水滸傳》 （中）

1. 鲁提辖拳打镇关西

高俅是《水浒传》里的大坏蛋，他因为球踢得好而得到了皇帝的宠爱，被提升做了大官，当了太守。上任的第一天，他就开始想办法整治那些以前得罪了他的人，甚至连他们的家人和朋友也不放过。其中就有王进和史进这两个人。王进本来是高俅的教头，因为高俅升官那天他生病没有前去祝贺，就因此得罪了他，而被追捕。王进只好带着母亲逃离家乡，躲到好朋友史进家里去。史进因为收留了王进，所以也被官府追捕。于是，他只好放火烧了自己的房子，也离家出走了。

1. 魯提轄拳打鎮關西

高俅是《水滸傳》裡的大壞蛋，他因為球踢得好而得到了皇帝的寵愛，被提升做了大官，當了太守。上任的第一天，他就開始想辦法整治那些以前得罪了他的人，甚至連他們的家人和朋友也不放過。其中就有王進和史進這兩個人。王進本來是高俅的教頭，因為高俅升官那天他生病沒有前去祝賀，就因此得罪了他，而被追捕。王進只好帶著母親逃離家鄉，躲到好朋友史進家裡去。史進因為收留了王進，所以也被官府追捕。于是，他只好放火燒了自己的房子，也離家出走了。

路上，史進在一個茶館裡認識了一位提轄，名字叫魯達。兩人一見面，就好像是多年的好朋友，談得非常高興。喝完了茶，魯達又請史進一起去飯館吃飯。

路上，史进在一个茶馆里认识了一位提辖，名字叫鲁达。两人一见面，就好像是多年的好朋友，谈得非常高兴。喝完了茶，鲁达又请史进一起去饭馆吃饭。

他们一边喝酒一边聊天。但是谈话时，旁边的房间里传来了很大的哭声。这让鲁达十分烦躁，他生气地把盘子、杯子全砸在地上。酒保立刻赶来解释，说那是卖唱的父女两人在哭，不过他们绝对不是故意要打扰鲁提辖喝酒的。鲁提辖提出要见见这父女俩，想问清楚他们为什么不停地哭泣。

鲁达见到了那卖唱的父女，问他们叫什么名字，究竟受了什么委屈。那姑娘说她叫金翠莲，是良家女子，可是不久前她被一个屠夫霸占了。这个屠夫姓郑，在这个小镇上称王称霸，人们叫他镇关西。镇关西看中了金翠莲，抢了她做他的小老婆，并口头上答应给她父亲一笔钱，但他一直都没有给。三个月以后，镇关西的太太吃醋，就把金翠莲赶出了家门。镇关西不但不帮她，还逼着她的父亲偿还那笔他并没有得到的钱。父女俩没有办法，只好到处卖唱，想办法挣钱还债。但时限已经到了，钱还没挣够，父女两人很害怕，越想越难过，就忍不住哭了。

他們一邊喝酒一邊聊天。但是談話時，旁邊的房間裡傳來了很大的哭聲。這讓魯達十分煩躁，他生氣地把盤子、杯子全砸在地上。酒保立刻趕來解釋，說那是賣唱的父女兩人在哭，不過他們絕對不是故意要打擾魯提轄喝酒的。魯提轄提出要見見這父女倆，想問清楚他們為什麼不停地哭泣。

魯達見到了那賣唱的父女，問他們叫什麼名字，究竟受了什麼委屈。那姑娘說她叫金翠蓮，是良家女子，可是不久前她被一個屠夫霸占了。這個屠夫姓鄭，在這個小鎮上稱王稱霸，人們叫他鎮關西。鎮關西看中了金翠蓮，搶了她做他的小老婆，並口頭上答應給她父親一筆錢，但他一直都沒有給。三個月以後，鎮關西的太太吃醋，就把金翠蓮趕出了家門。鎮關西不但不幫她，還逼著她的父親償還那筆他並沒有得到的錢。父女倆沒有辦法，只好到處賣唱，想辦法掙錢還債。但時限已經到了，錢還沒掙够，父女兩人很害怕，越想越難過，就忍不住哭了。

魯達聽完了他們的故事，對鎮關西又恨又氣，他告訴這父女二人，一定會給他們幫忙，為他們討回公道。他把身上的錢

鲁达听完了他们的故事，对镇关西又恨又气，他告诉这父女二人，一定会给他们帮忙，为他们讨回公道。他把身上的钱全部拿出来，送给他们，并要他们赶紧回家去。然后他打算第二天再去收拾那个屠夫镇关西。

鲁达计划先想办法激怒这个屠夫，再狠狠地揍他一顿。事情计划好以后，鲁达来到镇关西的店里假装要买肉。那个屠夫正好在店里看着伙计们卖肉，一见鲁提辖来了，就赶忙站起来说："欢迎，欢迎！"鲁达说他奉命来买肉，他先要十斤瘦肉，不能有一点肥肉在里面，而且都要切成肉丁。镇关西听了不高兴，但看见鲁提辖又高又大，知道那是不好对付的人，就忍住气，一切照办。鲁提辖见镇关西不高兴，就知道自己的计划不错，今天一定会成功。接着，他又要十斤肥肉，不要一点瘦的，也全部都要切成肉丁。镇关西亲自动手按他的要求切了整个上午，其他的顾客都不敢来买肉。他切完之后，用荷叶包了，递给鲁达。可是，鲁达继续要买这买那的，最后又说："我还要十斤寸金软骨，一点肉都不能在上面，也要切成碎丁儿。"

镇关西终于忍不住了，他生气地问鲁达："你是来买东西的，还是来故意捉弄

全部拿出來，送給他們，並要他們趕緊回家去。然後他打算第二天再去收拾那個屠夫鎮關西。

　　魯達計劃先想辦法激怒這個屠夫，再狠狠地揍他一頓。事情計劃好以後，魯達來到鎮關西的店裡假裝要買肉。那個屠夫正好在店裡看著夥計們賣肉，一見魯提轄來了，就趕忙站起來說："歡迎，歡迎！"魯達說他奉命來買肉，他先要十斤瘦肉，不能有一點肥肉在裡面，而且都要切成肉丁。鎮關西聽了不高興，但看見魯提轄又高又大，知道那是不好對付的人，就忍住氣，一切照辦。魯提轄見鎮關西不高興，就知道自己的計劃不錯，今天一定會成功。接著，他又要十斤肥肉，不要一點瘦的，也全部都要切成肉丁。鎮關西親自動手按他的要求切了整個上午，其他的顧客都不敢來買肉。他切完之後，用荷葉包了，遞給魯達。可是，魯達繼續要買這買那的，最後又說："我還要十斤寸金軟骨，一點肉都不能在上面，也要切成碎丁兒。"

　　鎮關西終于忍不住了，他生氣地問魯達："你是來買東西的，還是來故意捉弄我的？"鎮關西剛一說完，魯達就抓起那兩包碎肉往他臉上打過去，店裡馬上就

我的？"镇关西刚一说完，鲁达就抓起那两包碎肉往他脸上打过去，店里马上就下起了一阵肉雨。鲁达说："我今天就是来捉弄你的！"这时，镇关西也火冒三丈，他从肉板上抓起一把刀，就向鲁达冲过去。可是他还没有碰到鲁提辖，就一下子被提起来，扔到了门外。然后，鲁提辖把他按倒在地，边打边骂，想好好地教训他一顿。可是没想到，只打了三下，镇关西就停止了呼吸。

店里下起了一阵肉雨

鲁达一看，知道坏事了，自己肯定要吃官司了。要是被抓去坐牢，家里连个送饭的人都没有。于是，就决定马上逃走。他从那里逃出来以后，一路上东躲西藏，最后只好到五台山去做了和尚。

在五台山上，鲁达被取名叫智深，大家就都叫他鲁智深。半年以后，鲁智深被推荐到大相国寺去做僧人。由于他长得高大，非常

下起了一陣肉雨。魯達說：" 我今天就是來捉弄你的！"這時，鎮關西也火冒三丈，他從肉板上抓起一把刀，就向魯達沖過去。可是他還沒有碰到魯提轄，就一下子被提起來，扔到了門外。然後，魯提轄把他按倒在地，邊打邊罵，想好好地教訓他一頓。可是沒想到，只打了三下，鎮關西就停止了呼吸。

鎮關西一下子
被扔到了門外

魯達一看，知道壞事了，自己肯定要吃官司了。要是被抓去坐牢，家裡連個送飯的人都沒有。于是，就決定馬上逃走。他從那裡逃出來以後，一路上東躲西藏，最後只好到五台山去做了和尚。

在五台山上，魯達被取名叫智深，大家就都叫他魯智深。半年以後，魯智深被推薦到大相國寺去做僧人。由于他長得高大，非常健壯，而且武藝驚人，就

健壮，而且武艺惊人，就被派去看守菜园。菜园附近经常有来偷菜的人，可都打不赢鲁智深，最后都被他收服了。他们与智深相处了一段时间后，成了朋友，就都想看看智深是怎么练习武术的。一天，鲁智深从房中取出铁禅杖，来到园中空地上，开始练习。

智深正练得起劲时，突然听见外面有一个人大声叫"好！"智深听了，走出去看看，发现这个叫好的不是别人，正是自己仰慕已久的英雄林冲。林冲有三十四、五岁，长得非常英俊，他刚刚当上八十万禁军的教头，很有气势。智深见到了林冲，非常高兴。两人交谈了几句之后，都觉得自己遇见了真正的英雄，便叩头互相称作兄弟。按照年龄大小，鲁智深当了哥哥，林冲成了弟弟。

被派去看守菜園。菜園附近經常有來偷菜的人，可都打不贏魯智深，最後都被他收服了。他們與智深相處了一段時間後，成了朋友，就都想看看智深是怎麼練習武術的。一天，魯智深從房中取出鐵禪杖，來到園中空地上，開始練習。

　　智深正練得起勁時，突然聽見外面有一個人大聲叫“好！”智深聽了，走出去看看，發現這個叫好的不是別人，正是自己仰慕已久的英雄林沖。林沖有三十四、五歲，長得非常英俊，他剛剛當上八十萬禁軍的教頭，很有氣勢。智深見到了林沖，非常高興。兩人交談了幾句之後，都覺得自己遇見了真正的英雄，便叩頭互相稱作兄弟。按照年齡大小，魯智深當了哥哥，林沖成了弟弟。

2. 林教头风雪山神庙

林冲与鲁智深正谈得高兴的时候，林冲的使女锦儿匆匆赶来，告诉林冲有人拦住夫人不放。林冲大吃一惊，急忙告别智深，赶到隔壁的岳庙，去找自己的妻子。原来，那天他的妻子去岳庙上香还愿，出来的时候碰见了坏人。林冲走进庙里面，看见一个年轻的男子正在拉扯妻子的衣裙，不让她离开。林冲见了，气极了，便上前一把抓住那个男子，大声责备："光天化日之下，你竟敢调戏良家女子，该当何罪！"

林冲正要一拳打下去，很多人劝阻了他。原来，这是高俅的干儿子高衙内。那天，高衙内也正好来岳庙，看见林冲的妻子，觉得她美极了，就想把她抢回家去。可是见了林冲以后，知道自己不是他的对手，就先离开了岳庙。林冲带着妻子走出大庙，见鲁智深手提禅杖与他的朋友一起赶来，要帮他一起打那个高衙内。林冲拦住智深，把他劝了回去，自己也闷闷不乐地回家去了。

高衙内仰仗高俅的权势，常常骚扰长得漂亮的女子，不管她是人家的妻子还是女儿。他回到官府后，整天吃不下饭，睡不着觉，心里老想着林冲那美丽的妻子。过了不久，

2. 林教頭風雪山神廟

林沖與魯智深正談得高興的時候，林沖的使女錦兒匆匆趕來，告訴林沖有人攔住夫人不放。林沖大吃一驚，急忙告別智深，趕到隔壁的岳廟，去找自己的妻子。原來，那天他的妻子去岳廟上香還願，出來的時候碰見了壞人。林沖走進廟裡面，看見一個年輕的男子正在拉扯妻子的衣裙，不讓她離開。林沖見了，氣極了，便上前一把抓住那個男子，大聲責備：“光天化日之下，你竟敢調戲良家女子，該當何罪！”

林沖正要一拳打下去，很多人勸阻了他。原來，這是高俅的乾兒子高衙內。那天，高衙內也正好來岳廟，看見林沖的妻子，覺得她美極了，就想把她搶回家去。可是見了林沖以後，知道自己不是他的對手，就先離開了岳廟。林沖帶著妻子走出大廟，見魯智深手提禪杖與他的朋友一起趕來，要幫他一起打那個高衙內。林沖攔住智深，把他勸了回去，自己也悶悶不樂地回家去了。

高衙內仰仗高俅的權勢，常常騷擾長得漂亮的女子，不管她是人家的妻子還是女兒。他回到官府後，整天吃不下飯，人开始消瘦了。高俅知道以后，答应一定要帮助他把林冲的妻子抢过来。但是他知道林冲不是好对付的，要抢他的妻子，除非先要了他的命。

高俅和他的谋臣想来想去，最后想出一个把林冲置于死地的骗局。他们先派人去找林冲，说是高太守听说他有一把宝刀，想要看看，要他把刀带到白虎节堂去。林冲不知道，白虎节堂是商讨军机的地方，一般人不得入内，进去便是死罪，更何况是带刀进去。林冲果然中了这个骗局，一进去就被抓起来了，并要判他死罪。幸亏有很多人的慷慨救助，他才被免去了死罪，但必须被发送到沧州去服劳役。

高俅看见林冲没死，很不甘心，又要押送林冲的差官董超、薛霸在去沧州的路上找机会把他打死。这两个差官害怕高俅的权势，只好答应，他们打算先把林冲折磨得半死不活，再找机会下手。于是，他们先在旅店里用滚烫的水烫伤了林冲的双脚，使他步履艰难，等他走不动的时候，又用棍棒狠狠地打他，逼他走。就这样，林冲被打得全身是伤，半死不活。

一天，天刚蒙蒙亮，那两个差官就要林冲马上出发。他们知道路上要经过一个

睡不著覺，心裡老想著林沖那美麗的妻子。過了不久，人開始消瘦了。高俅知道以後，答應一定要幫助他把林沖的妻子搶過來。但是他知道林沖不是好對付的，要搶他的妻子，除非先要了他的命。

高俅和他的謀臣想來想去，最後想出一個把林沖置于死地的騙局。他們先派人去找林沖，說是高太守聽說他有一把寶刀，想要看看，要他把刀帶到白虎節堂去。林沖不知道，白虎節堂是商討軍機的地方，一般人不得入內，進去便是死罪，更何況是帶刀進去。林沖果然中了這個騙局，一進去就被抓起來了，並要判他死罪。幸虧有很多人的慷慨救助，他才被免去了死罪，但必須被發送到滄州去服勞役。

高俅看見林沖沒死，很不甘心，又要押送林沖的差官董超、薛霸在去滄州的路上找機會把他打死。這兩個差官害怕高俅的權勢，只好答應，他們打算先把林沖折磨得半死不活，再找機會下手。于是，他們先在旅店裡用滾燙的水燙傷了林沖的雙腳，使他步履艱難，等他走不動的時候，又用棍棒狠狠地打他，逼他走。就這樣，林沖被打得全身是傷，半死不活。

偏僻的叫野猪林的地方，觉得可以在那儿下手。到了野猪林以后，只见一片迷雾，什么也看不清楚。两个差官把林冲带到树林中间，看了看四周，发现没有人，就拿出绳子，把林冲绑在树上，对他说："林教头，不是我们俩不放过你，而是高太尉命令我们处死你，你死后可不要埋怨我们俩啊。"说完，就举起棍棒朝林冲的头部打过去。

就在这时候，一棵大松树后突然响起一声霹雳："住手！"一条又大又重的铁禅杖飞了过来，打掉了那两个差官手中的棍子，紧跟着又跳出一个胖胖的大和尚，抢起铁禅杖，把两个差官狠狠地打了一顿。林冲本来闭着眼睛等死，突然听见有人喊叫，睁开眼睛一看，原来是鲁智深，忙叫道："大哥，不要打死他们，这并不是他们的主意。"鲁智深收住禅杖，扯断林冲身上的绳子，扶起他，对他说："贤弟，你受苦了！他们迟早不会放过你，一有机会会害死你的。我看，你还是跟我一起逃走吧！"林冲说，他要是想逃走，早就走了，他不愿意做个不忠诚的人，一定要到沧州去服刑。

鲁智深怕林冲又陷入困境，便一路尾随他们三人直到沧州才离开。

一天，天剛矇矇亮，那兩個差官就要林沖馬上出發。他們知道路上要經過一個偏僻的叫野豬林的地方，覺得可以在那兒下手。到了野豬林以後，只見一片迷霧，什麼也看不清楚。兩個差官把林沖帶到樹林中間，看了看四周，發現沒有人，就拿出繩子，把林沖綁在樹上，對他說："林教頭，不是我們倆不放過你，而是高太尉命令我們處死你，你死後可不要埋怨我們倆啊。"說完，就舉起棍棒朝林沖的頭部打過去。

就在這時候，一棵大松樹後突然響起一聲霹靂："住手！"一條又大又重的鐵禪杖飛了過來，打掉了那兩個差官手中的棍子，緊跟著又跳出一個胖胖的大和尚，掄起鐵禪杖，把兩個差官狠狠地打了一頓。

林沖本來閉著眼睛等死，突然聽見有人喊叫，睜開眼睛一看，原來是魯智深，忙叫道："大哥，不要打死他們，這並不是他們的主意。"魯智深收住禪杖，扯斷林沖身上的繩子，扶起他，對他說："賢弟，你受苦了！他們遲早不會放過你，一有機會會害死你的。我看，你還是跟我一起逃走吧！"林沖說，他要是想逃走，早就

高俅得知两个差官在路上并没有除掉林冲，非常生气。接着，他又想出了另一个阴谋。他派人到沧州，指使牢里的官员等待机会，想办法除掉林冲。冬天到了，大雪纷飞。一天，一个官员要林冲到城外去看守给大军准备的草料场。林冲不知道这又是一个骗局，就高高兴兴地挑着行李到大军草料场去了。

大军草料场堆放着很多给军马用的草料，给林冲住的地方是一个破烂的茅屋。外面下着大雪，屋顶上的雪越来越厚，压得茅屋"吱吱"地响。林冲在里面觉得冷极了，他起身走出茅屋，想找点东西来吃，便向五里外的一家酒店走去。

林冲来到酒店，觉得暖和多了，但心里还是想着草料场没人看守，便买了一点酒、二斤牛肉，想赶快回草料场去。一到草料场，发现那间茅屋早已被雪压塌了。于是，他就往路上的一座庙里走去，打算在那儿休息一会儿。

林冲走进庙里，发现没有人，就找了一块石头挡住庙门，在一张破桌边坐下，开始吃饭。不一会儿，忽然听见外面劈劈啪啪乱响，往外一看，草料场方向火光冲天。林冲丢下饭菜，拿起武器就要去救火，却听到有人正向小庙走过来。还听见有一个人在说：

走了，他不願意做個不忠誠的人，一定要到滄州去服刑。

魯智深怕林沖又陷入困境，便一路尾隨他們三人直到滄州才離開。

高俅得知兩個差官在路上並沒有除掉林沖，非常生氣。接著，他又想出了另一個陰謀。他派人到滄州，指使牢裡的官員等待機會，想辦法除掉林沖。冬天到了，大雪紛飛。一天，一個官員要林沖到城外去看守給大軍準備的草料場。林沖不知道這又是一個騙局，就高高興興地挑著行李到大軍草料場去了。

大軍草料場堆放著很多給軍馬用的草料，給林沖住的地方是一個破爛的茅屋。外面下著大雪，屋頂上的雪越來越厚，壓得茅屋"吱吱"地響。林沖在裡面覺得冷極了，他起身走出茅屋，想找點東西來吃，便向五里外的一家酒店走去。

林沖來到酒店，覺得暖和多了，但心裡還是想著草料場沒人看守，便買了一點酒、二斤牛肉，想趕快回草料場去。一到草料場，發現那間茅屋早已被雪壓塌了。于是，他就往路上的一座廟裡走去，打算在那兒休息一會兒。

"这个点子不错，这次林冲肯定得死。"又听见另一个人说："这场大火即使烧不死林冲，大军草料场失火，他也无法逃脱死罪。"

林冲听到这些，非常愤怒，拿起武器冲出庙门。这两个说话的人发现是林冲，转身就逃。林冲追上去，一下就把他们全部都打死了。林冲打死了他们以后，心中有些后悔，但已经没有别的路可走，只有逃命了。林冲想：如今我有家不能归，有国不能保，我能去哪儿呢？突然，他想起了梁山泊，那儿方圆八百里，已经有很多好汉在那里扎寨，于是连夜赶往梁山泊。

林沖走進廟裡，發現沒有人，就找了一塊石頭擋住廟門，在一張破桌邊坐下，開始吃飯。不一會兒，忽然聽見外面劈劈啪啪亂響，往外一看，草料場方向火光沖天。林沖丟下飯菜，拿起武器就要去救火，卻聽到有人正向小廟走過來。還聽見有一個人在說："這個點子不錯，這次林沖肯定得死。"又聽見另一個人說："這場大火即使燒不死林沖，大軍草料場失火，他也無法逃脫死罪。"

林沖聽到這些，非常憤怒，拿起武器沖出廟門。這兩個說話的人發現是林沖，轉身就逃。林沖追上去，一下就把他們全部都打死了。林沖打死了他們以後，心中有些後悔，但已經沒有別的路可走，只有逃命了。林沖想：如今我有家不能歸，有國不能保，我能去哪兒呢？突然，他想起了梁山泊，那兒方圓八百里，已經有很多好漢在那裡扎寨，于是連夜趕往梁山泊。

Vocabulary List

	SIMPLIFIED CHARACTERS	TRADITIONAL CHARACTERS	PINYIN	PART OF SPEECH	ENGLISH DEFINITION
1	提辖	提轄	tíxiá	n.	(name of an official title in ancient China)
2	太守	太守	tàishǒu	n.	governor of a province
3	教头	教頭	jiàotóu	n.	military instructor in ancient China
4	烦躁	煩躁	fánzào	v.	to get irritated, agitated, fretful
5	酒保	酒保	jiǔbǎo	n.	attendant, waiter
6	委屈	委屈	wěiqū	v.	to feel wronged
7	屠夫	屠夫	túfū	n.	butcher
8	称王称霸	稱王稱霸	chēngwáng chēngbà	expr.	to lord over
9	吃醋	吃醋	chīcù	vo.	to get jealous
10	逼着	逼著	bīzhe	v.	to force
11	偿还	償還	chánghuán	v.	to repay
12	还债	還債	huánzhài	vo.	to repay a debt

	SIMPLIFIED CHARACTERS	TRADITIONAL CHARACTERS	PINYIN	PART OF SPEECH	ENGLISH DEFINITION
13	讨回公道	討回公道	tǎohuí gōngdào	vo.	to claim justice
14	揍一顿	揍一頓	zòu yīdùn	vc.	to give a beating
15	伙计	夥計	huǒji	n.	store clerk
16	照办	照辦	zhàobàn	v.	to follow exactly
17	捉弄	捉弄	zhuōnòng	v.	to make a fool of, to play tricks on
18	火冒三丈	火冒三丈	huǒmào sānzhàng	expr.	to fly into a rage
19	按倒	按倒	àndǎo	vc.	to pin to the ground
20	吃官司	吃官司	chī guānsi	vo.	to get into trouble with the law, to serve a jail term
21	收服	收服	shōufú	v.	to conquer
22	铁禅杖	鐵禪杖	tiě chánzhàng	n.	Buddhist monk's iron staff
23	起劲	起勁	qǐjìn	adv.	energetically, enthusiastically
24	仰慕已久	仰慕已久	yǎngmù yǐjiǔ	expr.	to admire for a long time

	SIMPLIFIED CHARACTERS	TRADITIONAL CHARACTERS	PINYIN	PART OF SPEECH	ENGLISH DEFINITION
25	禁军	禁軍	jìnjūn	n.	imperial guards
26	叩头	叩頭	kòutóu	vo.	to kowtow, to bow
27	使女	使女	shǐnǔ	n.	female servant
28	匆匆	匆匆	cōngcōng	adv.	hastily
29	拦住	攔住	lánzhù	vc.	to stop
30	岳庙	岳廟	Yuè Miào	pn.	Yue Temple
31	上香还愿	上香還願	shàngxiāng huányuàn	expr.	to burn incense to redeem for one's prayers
32	责备	責備	zébèi	v.	to blame
33	光天化日	光天化日	guāngtiān huàrì	n.	broad daylight
34	该当何罪	該當何罪	gāidāng hé zuì	expr.	What punishment do you think you deserve?
35	劝阻	勸阻	quànzǔ	v.	to advise against doing sth.
36	干儿子	乾兒子	gān érzi	n.	adopted son

	SIMPLIFIED CHARACTERS	TRADITIONAL CHARACTERS	PINYIN	PART OF SPEECH	ENGLISH DEFINITION
37	高衙内	高衙内	Gāo Yánèi	pn.	(name of a person)
38	仰仗	仰仗	yǎngzhàng	v.	to rely on
39	权势	權勢	quánshì	n.	authority and influence
40	骚扰	騷擾	sāorǎo	v.	to harass
41	消瘦	消瘦	xiāoshòu	v.	to become thin
42	白虎節堂	白虎節堂	Báihǔ Jiétáng	pn.	White Tiger Hall
43	商讨军机	商討軍機	shāngtǎo jūnjī	vo.	to discuss military plans
44	何况	何況	hékuàng	conj.	much less, let alone
45	判	判	pàn	v.	to sentence
46	慷慨救助	慷慨救助	kāngkǎi jiùzhù	expr.	to generously help
47	免去	免去	miǎnqù	vc.	to be stripped of
48	沧州	滄州	Cāngzhōu	pn.	(name of a place)

	SIMPLIFIED CHARACTERS	TRADITIONAL CHARACTERS	PINYIN	PART OF SPEECH	ENGLISH DEFINITION
49	服劳役	服勞役	fú láoyì	vo.	to serve terms in prison
50	不甘心	不甘心	bù gānxīn	v.	to not be reconciled to
51	押送	押送	yāsòng	v.	to send under escort
52	差官	差官	chāiguān	n.	official who dispatches criminals
53	薛霸	薛霸	Xuē Bà	pn.	(name of a person)
54	折磨	折磨	zhémó	v.	to torture, to persecute
55	滚烫的	滾燙的	gǔntàng de	adj.	boiling hot
56	步履艰难	步履艱難	bùlǚ jiānnán	expr.	to walk with difficulty
57	蒙蒙亮	曚曚亮	mēngmēng liàng	v.	(of daybreak) to glimmer
58	偏僻的	偏僻的	piānpi de	adj.	remote
59	迷雾	迷霧	míwù	n.	dense fog
60	太尉	太尉	tàiwèi	n.	captain
61	埋怨	埋怨	mányuàn	v.	to complain
62	一声霹雳	一聲霹靂	yīshēng pīli	n.	a clap of thunder

	SIMPLIFIED CHARACTERS	TRADITIONAL CHARACTERS	PINYIN	PART OF SPEECH	ENGLISH DEFINITION
63	抡起	掄起	*lúnqǐ*	vc.	to swing, to whirl one's arm
64	扯断	扯斷	*chěduàn*	vc.	to pull apart
65	扶起	扶起	*fúqǐ*	vc.	to support with one's hand
66	阴谋	陰謀	*yīnmóu*	n.	conspiracy, plot
67	牢里	牢裡	*láolǐ*	adv.	in prison
68	破烂	破爛	*pòlàn*	adj.	in poor condition, ruined
69	茅屋	茅屋	*máowū*	n.	cottage
70	压塌	壓塌	*yātā*	vc.	to collapse
71	挡住	擋住	*dǎngzhù*	vc.	to block off
72	劈劈啪啪	劈劈啪啪	*pīpī pāpā*	on.	(sound of crackling)
73	失火	失火	*shīhuǒ*	vo.	to catch on fire
74	愤怒	憤怒	*fènnù*	adj.	angry
75	扎寨	扎寨	*zhāzhài*	vo.	to pitch camp

Questions

1. 鲁达为什么要打镇关西?
   魯達為什麼要打鎮關西？

2. 林冲是怎样被逼上梁山的?
   林沖是怎樣被逼上梁山的？

3. This section describes in detail a social injustice that forced people to stand up and fight. Using resources online, can you draw any parallels between events in the story and historical events during the Song dynasty?

12

Water Margin (Part 3)

《水浒传》（下）
《水滸傳》（下）

3. 景阳岗武松打虎

武松也是梁山泊的一个好汉，他最有名的故事是赤手空拳打死了一只大老虎。武松长得很英俊，个子有二米多高，还有一身惊人的武功。武松父母早就去世了，只有一个哥哥，叫武大郎。武大郎跟弟弟武松正好相反，长得又矮又小，常常被人欺负。因此武松很挂念哥哥武大郎，只要离家久了，就要回家去看看。

一天，武松又要回家看哥哥了。因为一路上心里只想着哥哥，所以不停地赶路，没几天，就到了阳谷县境内。他远远看见前面有一个小酒店，门前挂着一面旗子，上面写着五个大字："三碗不过岗"。这时，武松非常饿，他走进酒店，大声喊："主人家，快拿酒菜来吃！"

3. 景陽崗武松打虎

武松也是梁山泊的一個好漢，他最有名的故事是赤手空拳打死了一隻大老虎。武松長得很英俊，個子有二米多高，還有一身驚人的武功。武松父母早就去世了，只有一個哥哥，叫武大郎。武大郎跟弟弟武松正好相反，長得又矮又小，常常被人欺負。因此武松很掛念哥哥武大郎，只要離家久了，就要回家去看看。

一天，武松又要回家看哥哥了。因為一路上心裡只想著哥哥，所以不停地趕路，沒幾天，就到了陽穀縣境內。他遠遠看見前面有一個小酒店，門前掛著一面旗子，上面寫著五個大字："三碗不過崗"。這時，武松非常餓，他走進酒店，大聲喊："主人家，快拿酒菜來吃！"

那聲音好像半空響了個炸雷，震得酒缸都嗡嗡作響。店主趕忙拿出三隻碗、

那声音好像半空响了个炸雷，震得酒缸都嗡嗡作响。店主赶忙拿出三只碗、一盘牛肉和一双筷子。武松坐在桌后，把哨棒放在旁边，端起满满一碗酒，一口气喝完，伸出大拇指，大声说："好酒！"

店主又给武松倒了三碗酒，武松都一口气喝完了，他还要加酒，店主说："要肉可以再加，如果要酒，我就不能再给您加了。店门前的旗子上就写着'三碗不过岗'，平常人喝完三碗酒早就醉了。"

"原来是这样，可是我为什么没醉？"

"我的酒是透瓶香，又叫'出门倒'，刚入口时甘醇甜美，过一会儿便会倒地。"

"废话少说，再给我来三碗！"

店主看武松一点都不醉，只得又倒了三碗，武松边喝边说："真是好酒，好极了！我喝一碗给你一碗的钱，你只管拿来。"

店主只好听从了武松的吩咐，一碗一碗地给他倒酒。武松越喝越高兴，一连喝了十八碗，把店主看得目瞪口呆。喝完了酒，武松付了钱，提起哨棒就走。店主上前拦住他，告诉他前面景阳岗上有大老虎，会伤人。武松笑着说："我家住得不远，我从

一盤牛肉和一雙筷子。武松坐在桌後，把哨棒放在旁邊，端起滿滿一碗酒，一口氣喝完，伸出大拇指，大聲說：＂好酒！＂

店主又給武松倒了三碗酒，武松都一口氣喝完了，他還要加酒，店主說：＂要肉可以再加，如果要酒，我就不能再給您加了。店門前的旗子上就寫著‘三碗不過崗’，平常人喝完三碗酒早就醉了。＂

＂原來是這樣，可是我為什麼沒醉？＂

＂我的酒是透瓶香，又叫‘出門倒’，剛入口時甘醇甜美，過一會兒便會倒地。＂

＂廢話少說，再給我來三碗！＂

店主看武松一點都不醉，只得又倒了三碗，武松邊喝邊說：＂真是好酒，好極了！我喝一碗給你一碗的錢，你只管拿來。＂

店主只好聽從了武松的吩咐，一碗一碗地給他倒酒。武松越喝越高興，一連喝了十八碗，把店主看得目瞪口呆。喝完了酒，武松付了錢，提起哨棒就走。店主上前攔住他，告訴他前面景陽崗上有大老虎，會傷人。武松笑著說：＂我家住得不遠，我從這裡至少也走過一、二十次了，從沒聽說過崗上有老虎出來。你是不是要留我住宿，到了晚上想偷我的錢？＂

三碗不过岗

这里至少也走过一、二十次了，从没听说过岗上有老虎出来。你是不是要留我住宿，到了晚上想偷我的钱？"

店家觉得自己一片好心，反而遭来误解，便不说话了。武松拿起哨棒，便歪歪倒倒地一直往岗上走去。

黄昏时分，满天的晚霞映得岗上一片绚烂。武松赶到路边的一座破庙门前，庙门上贴着一张通告，上面写着景阳岗上最近有老虎出现，如果是单独一个人，就不要上山，必须成群结伙拿着棍子一起走。武松读完之后，刚要转身回酒店，可是又想："如果我回去，酒店的老板一定会笑话我。这有什么可怕的！"他对自己说道，然后握紧哨棒，就大踏步向岗上走去。

太阳落山了，天也暗了下来。武松走着走着，一手提着哨棒，一手把胸前衣衫袒开，走进一个树林里。武松看到林中平躺着

店家覺得自己一片好心，反而遭來誤解，便不說話了。<u>武松</u>拿起哨棒，便歪歪倒倒地一直往崗上走去。

黃昏時分，滿天的晚霞映得崗上一片絢爛。<u>武松</u>趕到路邊的一座破廟門前，廟門上貼著一張通告，上面寫著景陽崗上最近有老虎出現，如果是單獨一個人，就不要上山，必須成群結夥拿著棍子一起走。<u>武松</u>讀完之後，剛要轉身回酒店，可是又想：「如果我回去，酒店的老闆一定會笑話我。這有什麼可怕的！」他對自己說道，然後握緊哨棒，就大踏步向崗上走去。

武松付了錢，提起哨棒就走

太陽落山了，天也暗了下來。<u>武松</u>走著走著，一手提著哨棒，一手把胸前衣衫袒開，走進一個樹林裡。<u>武松</u>看到林中平躺著一塊光溜溜的大青石，就把哨棒往上一靠，準備躺下來休息一會兒。突然，一陣狂風吹來，從樹後竄出一隻白色額頭的

一块光溜溜的大青石，就把哨棒往上一靠，准备躺下来休息一会儿。突然，一阵狂风吹来，从树后窜出一只白色额头的大猛虎。武松"啊呀"一声，翻下青石板，把哨棒拿在手中。那老虎两个爪子往地上一按，突然腾空扑向武松。武松吓坏了，赶忙躲闪，酒也吓醒了，出了一身冷汗。

那猛虎前爪着地，往武松身上撞来。武松又一闪，躲到他背后。猛虎见又没伤到武松，凶性大发，猛吼一声，震得山岗都摇晃起来，竖起那铁棒一般的尾巴，使劲一扫。武松纵身一跳，闪在一边，拿起哨棒，使出最大的气力，对着老虎头上砸过去。可是，武松因为心急，没打到老虎，却打在树上，把哨棒折成了两半。

那只猛虎转过身来，又扑向武松。武松向旁边一跳，老虎正好落在他面前。武松迎上去，两手按住老虎的头部，用脚、拳头往老虎身上一阵猛打，直打得它一动不动，武松才松开手，找到那半截哨棒，又往老虎身上再打了一阵，见它停止呼吸了才住手。

武松想把老虎拖下岗去，伸手一提，结果发现自己手脚发软，根本没有半点儿力气了。如果再有一只老虎出现，那还

大猛虎。武松"啊呀"一聲，翻下青石板，把哨棒拿在手中。那老虎兩個爪子往地上一按，突然騰空撲向武松。武松嚇壞了，趕忙躲閃，酒也嚇醒了，出了一身冷汗。

那猛虎前爪著地，往武松身上撞來。武松又一閃，躲到他背後。猛虎見又沒傷到武松，凶性大發，猛吼一聲，震得山崗都搖晃起來，竪起那鐵棒一般的尾巴，使勁一掃。武松縱身一跳，閃在一邊，拿起哨棒，使出最大的氣力，對著老虎頭上砸過去。可是，武松因為心急，沒打到老虎，却打在樹上，把哨棒折成了兩半。

那只猛虎轉過身來，又撲向武松。武松向旁邊一跳，老虎正好落在他面前。武松迎上去，兩手按住老虎的頭部，用脚、拳頭往老虎身上一陣猛打，直打得它一動不動，武松才鬆開手，找到那半截哨棒，又往老虎身上再打了一陣，見它停止呼吸了才住手。

武松想把老虎拖下崗去，伸手一提，結果發現自己手脚發軟，根本沒有半點兒力氣了。如果再有一隻老虎出現，那還怎麽應付？先下崗去再說吧。于是，武松往山下走去。突然，草叢中又鑽出兩隻老虎，把武松嚇得出了一身冷汗，可是那

怎么应付？先下岗去再说吧。于是，武松往山下走去。突然，草丛中又钻出两只老虎，把武松吓得出了一身冷汗，可是那两只老虎却直立起来。武松仔细一看，原来那不是老虎，是两个穿着虎皮的猎人。这两个猎人看见了那只被打死的老虎，又听武松讲了打虎的经过，又惊又喜，忙去叫其他的猎人来看死在岗上的老虎。一下子，来了很多人。大家都围着武松和那只老虎，高兴得又叫又跳。后来，他们抬起老虎，又簇拥着武松一起走下山去。

阳谷知县听说了这个消息，派人用轿子来接武松。武松披花带彩，坐着轿子进到城里，大伙儿抬着老虎跟在后面。大街小巷，人们都聚集在一起，大家争着看打虎英雄的模样。知县听完了武松介绍的打虎经过，非常钦佩，便奖给武松一些钱财。武松并不贪财，将赏钱全部赠给了猎人，回家看了哥哥，就上梁山泊去会合其他的英雄了。

兩隻老虎却直立起來。武松仔細一看，原來那不是老虎，是兩個穿著虎皮的獵人。

這兩個獵人看見了那隻被打死的老虎，又聽武松講了打虎的經過，又驚又喜，忙去叫其他的獵人來看死在崗上的老虎。一下子，來了很多人。大家都圍著武松和那隻老虎，高興得又叫又跳。後來，他們擡起老虎，又簇擁著武松一起走下山去。

陽穀知縣聽說了這個消息，派人用轎子來接武松。武松披花帶彩，坐著轎子進到城裡，大夥兒擡著老虎跟在後面。大街小巷，人們都聚集在一起，大家爭著看打虎英雄的模樣。知縣聽完了武松介紹的打虎經過，非常欽佩，便獎給武松一些錢財。武松並不貪財，將賞錢全部贈給了獵人，回家看了哥哥，就上梁山泊去會合其他的英雄了。

4. 结尾

随着上山的英雄越来越多，梁山泊的队伍也越来越大，总共有一百零八位好汉。大家聚集在一起，以宋江为首领，竖起了"替天行道"的旗子，意思是说他们要为民除害，伸张正义，为民做主。

同时，宋江也希望能够带领大家回归朝廷，效忠国家。但是，这个主意遭到了很多人的反对。于是，梁山泊的英雄们开始分成了两派。以宋江为首的一些人希望皇帝给他们"招安"，意思是不伤害他们，允许他们投降。可是武松、鲁智深等人都坚决反对，绝不向官府妥协。

梁山泊的壮大，震惊了朝野上下。徽宗皇帝派人前往招安，遭到反对。招安失败以后，皇帝又派军队攻打梁山泊。梁山泊的好汉个个武艺高强，他们十面埋伏，连接两次打败了敌人的进攻。接着，高俅又再派大军来攻打，也被打败了，他们还将他活捉上山。宋江决定利用这个机会，达到招安的目的。他对高俅以礼相待，放他回家，并请他向皇帝转达渴望朝廷招安的愿望。高俅回去后，宋江又另外派人去向皇帝请求招安。

4. 結尾

隨著上山的英雄越來越多，梁山泊的隊伍也越來越大，總共有一百零八位好漢。大家聚集在一起，以宋江為首領，竪起了"替天行道"的旗子，意思是說他們要為民除害，伸張正義，為民做主。

同時，宋江也希望能够帶領大家回歸朝廷，效忠國家。但是，這個主意遭到了很多人的反對。于是，梁山泊的英雄們開始分成了兩派。以宋江為首的一些人希望皇帝給他們"招安"，意思是不傷害他們，允許他們投降。可是武松、魯智深等人都堅決反對，絕不向官府妥協。

梁山泊的壯大，震驚了朝野上下。徽宗皇帝派人前往招安，遭到反對。招安失敗以後，皇帝又派軍隊攻打梁山泊。梁山泊的好漢個個武藝高强，他們十面埋伏，連接兩次打敗了敵人的進攻。接著，高俅又再派大軍來攻打，也被打敗了，他們還將他活捉上山。宋江決定利用這個機會，達到招安的目的。他對高俅以禮相待，放他回家，並請他向皇帝轉達渴望朝廷招安的願望。高俅回去後，宋江又另外派人去向皇帝請求招安。過了幾天，詔書果然

过了几天，诏书果然下来了，于是宋江领着大家，打着"顺天"、"护国"的旗号，接受了皇帝的招安。

梁山泊起义军接受招安后，正遇辽兵侵犯，宋江受命攻打辽兵。他带领大军，连连取胜，迫使辽国请罪投降。

回到京师以后，徽宗又下诏：命令宋江去平定淮西王庆，随后又派他去平定河北田虎和江南方腊。在这些战斗中，梁山泊起义军损失惨重，虽然大功告成，但却死伤了七十二人。返回途中，鲁智深在杭州的一个寺庙里打坐，安然而死。武松不愿回京，就在这里出家当了和尚。后来，林冲瘫痪了，其他的人不是病死，也都悄悄地离开了。最后，皇帝见宋江没有什么用处了，就派人用毒药掺入御酒中，毒死了他。一场轰轰烈烈的农民起义就这样在悲剧中结束了。

下來了，于是宋江領著大家，打著
“順天”、“護國”的旗號，接受
了皇帝的招安。

梁山泊起義軍接受招安後，
正遇遼兵侵犯，宋江受命攻打遼
兵。他帶領大軍，連連取勝，迫
使遼國請罪投降。

回到京師以後，徽宗又下
詔：命令宋江去平定淮西王慶，
隨後又派他去平定河北田虎和江
南方臘。在這些戰鬥中，梁山
泊起義軍損失慘重，雖然大功告
成，但却死傷了七十二人。返回
途中，魯智深在杭州的一個寺
廟裡打坐，安然而死。武松不願
回京，就在這裡出家當了和尚。
後來，林沖癱瘓了，其他的人
不是病死，也都悄悄地離開了。
最後，皇帝見宋江沒有什麼用處
了，就派人用毒藥摻入禦酒中，
毒死了他。一場轟轟烈烈的農民
起義就這樣在悲劇中結束了。

Vocabulary List

	SIMPLIFIED CHARACTERS	TRADITIONAL CHARACTERS	PINYIN	PART OF SPEECH	ENGLISH DEFINITION
1	赤手空拳	赤手空拳	chìshǒu kōngquán	expr.	unarmed, without weapons
2	欺负	欺負	qīfu	v.	to bully
3	挂念	掛念	guàniàn	v.	to miss, to worry about
4	炸雷	炸雷	zhàléi	n.	clap of thunder
5	震	震	zhèn	v.	to shake, to shock, to vibrate
6	酒缸	酒缸	jiǔgāng	n.	wine jar
7	嗡嗡	嗡嗡	wēngwēng	on.	hum, buzz
8	哨棒	哨棒	shàobàng	n.	stick
9	透瓶香	透瓶香	tòupíng xiāng	n.	wine with a scent that penetrates the bottle
10	甘醇甜美	甘醇甜美	gānchún tiánměi	adj.	sweet and pleasant
11	废话少说	廢話少說	fèihuà shǎoshuō	expr.	no nonsense
12	吩咐	吩咐	fēnfù	v.	to command

	SIMPLIFIED CHARACTERS	TRADITIONAL CHARACTERS	PINYIN	PART OF SPEECH	ENGLISH DEFINITION
13	目瞪口呆	目瞪口呆	mùdèng kǒudāi	expr.	stunned and speechless
14	遭来误解	遭來誤解	zāolái wùjiě	vo.	to encounter misunderstanding
15	歪歪倒倒	歪歪倒倒	wāiwāi dǎodǎo	v.	to stagger
16	晚霞	晚霞	wǎnxiá	n.	sunset glow
17	绚烂	絢爛	xuànlàn	adj.	splendid, magnificent
18	成群结伙	成群結夥	chéngqún jiéhuǒ	expr.	in groups, in large numbers
19	袒开	袒開	tǎnkāi	vc.	to uncover, to unbutton
20	光溜溜	光溜溜	guāng liūliū	adj.	smooth
21	窜出	竄出	cuànchū	vc.	to scurry out
22	腾空	騰空	téngkōng	v.	to soar up
23	扑向	撲向	pūxiàng	vc.	to lunge at
24	凶性	凶性	xiōngxìng	n.	fierceness

	SIMPLIFIED CHARACTERS	TRADITIONAL CHARACTERS	PINYIN	PART OF SPEECH	ENGLISH DEFINITION
25	猛吼	猛吼	měnghǒu	v.	to roar ferociously
26	摇晃	搖晃	yáohuàng	v.	to shake, to tremble
27	使劲	使勁	shǐjìn	vo.	to exert all one's strength
28	纵身	縱身	zòngshēn	vo.	to jump, to leap
29	拖	拖	tuō	v.	to drag
30	应付	應付	yìngfu	v.	to cope with
31	簇拥	簇擁	cùyōng	v.	to cluster around
32	轿子	轎子	jiàozi	n.	sedan chair
33	披花带彩	披花帶彩	pīhuā dàicǎi	expr.	to wear flowers and colorful victory garlands
34	小巷	小巷	xiǎoxiàng	n.	small alley
35	争着	爭著	zhēngzhe	v.	to fight for
36	钦佩	欽佩	qīnpèi	v.	to admire
37	贪财	貪財	tāncái	vo.	to be greedy
38	赏钱	賞錢	shǎngqián	n.	monetary reward

	SIMPLIFIED CHARACTERS	TRADITIONAL CHARACTERS	PINYIN	PART OF SPEECH	ENGLISH DEFINITION
39	赠	贈	*zèng*	v.	to give a present
40	替天行道	替天行道	*tìtiān xíngdào*	expr.	to right wrongs in accordance with Heaven's Decree
41	为民除害	為民除害	*wèi mín chú hài*	expr.	to rid the people of an evil
42	伸张正义	伸張正義	*shēnzhāng zhèngyì*	vo.	to enforce justice
43	为民做主	為民做主	*wèi mín zuò zhǔ*	expr.	to support the people
44	回归朝廷	回歸朝廷	*huíguī cháotíng*	vo.	to return to serve the royal government
45	效忠国家	效忠國家	*xiàozhōng guójiā*	vo.	to be loyal to the country
46	招安	招安	*zhāoān*	vo.	to offer amnesty and enlistment to rebels
47	妥协	妥協	*tuǒxié*	v.	to compromise
48	朝野	朝野	*cháoyě*	n.	the government and the public

	SIMPLIFIED CHARACTERS	TRADITIONAL CHARACTERS	PINYIN	PART OF SPEECH	ENGLISH DEFINITION
49	徽宗皇帝	徽宗皇帝	Huīzōng Huángdì	pn.	Emperor Huizong
50	遭到反对	遭到反對	zāodào fǎnduì	vo.	to encounter opposition
51	以礼相待	以禮相待	yǐ lǐ xiāng dài	v.	to treat with good manners
52	转达	轉達	zhuǎndá	v.	to convey
53	渴望	渴望	kěwàng	v.	to thirst for, to long for
54	诏书	詔書	zhàoshū	n.	decree, edict
55	顺天	順天	shùntiān	vo.	to follow the Mandate of Heaven
56	旗号	旗號	qíhào	n.	flag
57	辽兵	遼兵	Liáo bīng	n.	troops from the state of Liao
58	受命	受命	shòumìng	vo.	to receive orders
59	迫使	迫使	pòshǐ	v.	to force
60	投降	投降	tóuxiáng	v.	to surrender
61	平定	平定	píngdìng	v.	to suppress
62	淮西王庆	淮西王慶	Huáixī Wáng Qìng	pn.	Wang Qing of Huaixi

	SIMPLIFIED CHARACTERS	TRADITIONAL CHARACTERS	PINYIN	PART OF SPEECH	ENGLISH DEFINITION
63	河北田虎	河北田虎	*Héběi Tián Hǔ*	pn.	Tian Hu of Hebei
64	江南方腊	江南方臘	*Jiāngnán Fāng Là*	pn.	Fang La of Jiangnan
65	损失惨重	損失慘重	*sǔnshī cǎnzhòng*	vc.	to suffer heavy losses
66	大功告成	大功告成	*dàgōng gàochéng*	expr.	to win triumphantly
67	途中	途中	*túzhōng*	adv.	on one's way to, en route
68	打坐	打坐	*dǎzuò*	v.	to meditate
69	出家	出家	*chūjiā*	vo.	to become a monk or nun
70	瘫痪	癱瘓	*tānhuàn*	v.	to be paralyzed
71	毒药	毒藥	*dúyào*	n.	poison
72	掺入	摻入	*chānrù*	vc.	to mix with, to incorporate
73	御酒	禦酒	*yùjiǔ*	n.	wine bestowed by the emperor
77	轰轰烈烈	轟轟烈烈	*hōnghōng lièliè*	adj.	vigorous, large-scale
75	悲剧	悲劇	*bēijù*	n.	tragedy

Questions

1. 武松是怎样把老虎打死的？
   武松是怎樣把老虎打死的？

2. 梁山泊起义军给国家做了哪些好事？ 他们
   的最后结局怎么样？
   梁山泊起義軍給國家做了哪些好事？
   他們的最後結局怎麼樣？

3. Why did Song Jiang, the leader of this group, ask the emperor for amnesty? What is your view of this move?

4. What message does Shi Nai'an try to convey through the tragic ending of this story? How does it reflect his outlook on Chinese society?

APPENDIX:
STORY ABSTRACTS IN ENGLISH

I: EXCERPTS FROM *THE TRUE STORY OF AH Q*

1. *THE TRUE STORY OF AH Q* (PART 1)

Ah Q is a man who lives in the Wei village of southern China during the Qing dynasty. Nobody knows his real name or anything about his past. Despite being a laborer, he often argues with others about having more money than them. Self-conscious about the scars on his head, he doesn't let anyone utter words that even sound similar to the word "scar." It is thus inevitable that Ah Q gets into many fights, most of which he loses. As a way to make himself feel better, he imagines that it is his son who beats him, and laments that the world today has changed beyond recognition.

2. *THE TRUE STORY OF AH Q* (PART 2)

On one spring day, Ah Q has too much to drink. He sees a man who had cut off his queue of hair, and calls him a "fake foreign devil." This angers the man, who then beats up Ah Q. In yet another attempt to make himself feel better, he approaches a Buddhist nun and pinches her cheek. Considering himself victorious, he makes advances on one of the female servants of Zhao Xiucai (赵秀才 / 趙秀才), the man he works for. Ah Q is beaten once again, and forced to agree to a set of terms, including paying for a Daoist priest to expel Zhao's residence of any ghosts. From then on, the women of the village avoid Ah Q, and he has a difficult time finding work. After sneaking into a Buddhist nunnery to steal a radish, he is chased away by a dog.

3. *THE TRUE STORY OF AH Q* (PART 3)

Upon returning to his village in autumn, Ah Q looks different to the villagers. He has handfuls of silver and copper coins, which he claims to have earned from working for an old scholar in the city. The women no longer hide themselves from him. Instead, they run up to him asking where they could buy clothes, much like the silk dress he sold to a woman named Zou Qisao (邹七嫂 / 鄒七嫂).

One night, Ah Q overhears that members of the revolutionary party had entered the city, and the old scholar had come to the village to escape. Ah Q doesn't know why the revolutionaries would make the old scholar so scared, but it fascinates him. He then decides to be part of the revolution. Soon after, however, he falls asleep one night and misses an opportunity to do so.

A few days after Zhao Xiucai's home is ransacked, Ah Q is suddenly taken away in the middle of the night. He is blamed for the looting and sentenced to death. When ordered to sign a confession, he admits that he is illiterate. When then asked to draw a circle instead of his name, he cannot make it round enough. When being paraded to the execution grounds, Ah Q is distracted by the fact that he cannot come up with the words to a song to entertain the watching crowds.

II: EXCERPTS FROM *FLOWERS IN THE MIRROR*

4. *OVERSEAS TRAVELS* (PART 1)

A scholar named Tang Ao (唐敖) decides to embark on a voyage to see the outside world. His wife's brother, Lin Zhiyang (林之洋), joins him to pursue his ambitions to conduct business. Travelling with an old sailor named Duo Jiugong (多九公), they arrive at a place near the State of Gentlemen (君子国 / 君子國). There, they catch sight of Jingwei (精卫 / 精衛), a celestial bird attempting to fill up the sea by dropping rocks into the water one by one. Aside from seeing such unusual animals, they also find strange plants, such as a type of grass that, when eaten, causes its consumer to float in the air.

5. *OVERSEAS TRAVELS* (PART 2)

Arriving at the State of Gentlemen (君子国 / 君子國), the three adventurers witness merchants refusing to accept any additional money from their customers, who insist on paying higher prices for quality goods.

The three men also travel to the State of Giants (大人国 / 大人國), where customs are similar, but the inhabitants walk with clouds floating beneath them. It is explained to them that colorful clouds float under those who are good, and black clouds accompany those who are bad. Then, they see a beggar with a colorful cloud, and an official with a red cloth covering the cloud beneath his feet.

In the State of Ladies (女儿国 / 女兒國), Tang Ao and company encounter women dressed like men who work outside the home, and men dressed like women doing housework with their feet bound. Duo Jiugong explains that despite being frugal, the rich and poor alike in the State of Ladies enjoy spending money on makeup. Lin Zhiyang, the businessman, enters the city to sell the makeup and hairbrushes he brought with him.

6. *OVERSEAS TRAVELS* (PART 3)

After visiting the State of Ladies, Tang Ao and Duo Jiugong board their boat. However, there is no sign of Lin Zhiyang. Little did they know, when Lin Zhiyang went to sell goods at the king's palace, the king took a fancy on him, wanting him to become her queen. Lin Zhiyang was kept in the palace, forced to wear a dress, shave his beard, put on makeup, and even bind his feet. Fortunately, a few days later, Tang Ao and Duo Jiugong find their way into the palace and bring Lin Zhiyang back to the boat. After resting for a few months, they embark on yet another journey.

III: EXCERPTS FROM *JOURNEY TO THE WEST*

7. THE STORY OF THE MONKEY KING (PART 1)

Born from a stone, the Monkey King comes to live happily with his fellow monkeys in the Cave of Water Curtains (水帘洞 / 水簾洞) at the Mountain of Flowers and Fruit (花果山). From a master, he learns seventy-two methods of transformation and the secrets of immortality, and is also given the name Sun Wukong (孙悟空 / 孫悟空). Among his abilities, he can effortlessly wield a magic weapon called the "will-following golden-banded staff" (如意金箍棒) that he can shrink to the size of a needle or extend virtually endlessly; clone himself when outnumbered using hairs plucked from his body; and travel vast distances in a single leap by performing "cloud somersaults" (筋斗云 / 筋斗雲).

8. **THE STORY OF THE MONKEY KING (PART 2)**

Sun Wukong draws the attention of the Jade Emperor in Heaven, who bestows upon him the title Officer of Horses (弼马温 / 弼馬溫) and the responsibility of raising the heavenly steeds. But when he finds out that his title is considered the lowest of the heavenly positions, he quits and returns home, appointing himself as the Great Sage Equal to Heaven (齐天大圣 / 齊天大聖). The Jade Emperor comes to view Sun Wukong as a troublemaker, and sends the enormous celestial army to capture him. They are unable to, and after suffering constant defeat, the Jade Emperor reluctantly gives Sun Wukong the empty title of Great Sage Equal to Heaven. Overjoyed, the monkey returns to Heaven to take care of the Garden of Flat Peaches (蟠桃园 / 蟠桃園). However, he eventually gives in to temptation and eats most of the peaches.

9. **THE STORY OF THE MONKEY KING (PART 3)**

Captured by the celestial army and put into the Eight-Trigram Furnace for forty-nine days, Sun Wukong somehow does not burn to ashes: his body becomes as hard as steel and his eyes turn a fiery golden color. Furious and invincible, he rebels against Heaven, shattering everything in his way. Nevertheless, the Tathagata Buddha traps the Monkey King under a mountain, where he stays for five centuries until Tang Seng encounters him on his pilgrimage and admits him as his disciple.

IV: EXCERPTS FROM *WATER MARGIN*

10. *WATER MARGIN (PART 1)*

Water Margin is based on events from the Song Jiang (宋江) rebellion, which take place during the end of the Northern Song dynasty. It tells the stories of one hundred and eight heroes of the rebellion, led by Song Jiang. Other important leaders at Liangshan Marsh include Lu Junyi (卢俊义 / 盧俊義), who was once framed, put into jail, and had his wife and property taken from him. Wu Yong (吴用 / 吳用), another important leader, serves as a military instructor to Song Jiang and develops military strategies. Gong Sunsheng (公孙胜 / 公孫胜) is known for his surreal powers and ability to assemble troops.

Chai Jin (柴进 / 柴進), originally a descendant of royalty, is persecuted and saved by the heroes of Liangshan Marsh. The three Ruan brothers (阮氏三雄), who were fishermen, also turn to the heroes of Liangshan Marsh after becoming victims of government oppression. They lead the naval forces along with Li Jun (李俊), Zhang Heng (张横 / 張橫), and Zhang Shun (张顺 / 張順). Aside from the men, Hu Sanniang (扈三娘) is the strongest and most beautiful of the female generals. This unit retells some of the most famous stories about the revered heroes of Liangshan Marsh.

11. *WATER MARGIN* (PART 2)

Gao Qiu (高俅) is the main antagonist of *Water Margin*. He is a ruthless official who uses his power to punish all who had wronged him, even friends and family. His former military instructor, Wang Jin (王进 / 王進), has to flee after insulting Gao Qiu. Shi Jin (史进 / 史進) is also sought after by the government for sheltering his friend Wang Jin. One day, Shi Jin encounters Lu Da (鲁达 / 魯達), one of the heroes of Liangshan Marsh, and joins him for tea and a meal.

Then, Lu Da meets a peasant girl who was bullied by a butcher nicknamed Lord of the West (镇关西 / 鎮關西). After hearing the story of her and her father being harassed by the Lord of the West, Lu Da becomes angry and vows to seek justice. He finds the Lord of the West at his butcher shop, provokes him, and kills him in only three punches. To escape arrest, he flees to Mount Wutai (五台山), where he becomes a monk and is given the Buddhist name Zhishen (智深).

Taking leave of his wife on a temple visit, Lin Chong (林冲 / 林沖), the handsome, talented, and tall training instructor for the imperial guards (禁军 / 禁軍), meets Lu Zhishen and becomes his sworn brother. In Lin Chong's brief absence on this visit, Gao Yanei (高衙内), Gao Qiu's foster child, takes a fancy to Lin Chong's beautiful wife and tries to attack her. Lin Chong returns in time to rescue his wife, but becomes subject to numerous attempts on his life by the Gao family.

12. *WATER MARGIN* (PART 3)

Wu Song (武松), another of the heroes of *Water Margin*, has formidable strength and martial arts skills. His parents have long since passed, and thus he is very close with his brother. On his way home to visit his brother, he sees an inn with a flag that reads "None shall pass without drinking three cups of wine." Amused, Wu Song enters and far exceeds the challenge before continuing on his way. He is warned by the owner, however, of a fierce tiger on the loose. Sure enough, Wu Song encounters the tiger and kills it with his bare hands. He draws an enormous crowd, which includes the county head magistrate, who pays him a large reward. However, Wu Song gives the money to the local hunters and returns home to visit his brother. The story of his battle with the tiger is one of the most well-known and beloved stories in *Water Margin*.

At the novel's conclusion, upon convening at Liangshan Marsh, Song Jiang tries to convince the other heroes to make peace with the government and seek redress for the outlaws. Many of them disagree, and seeing that the decree had failed, the emperor orders an attack on Liangshan Marsh. Song Jiang and a few others accept the decree, and the emperor's orders are called off. The group then disbands, of which many members become monks, and others die in battle.

VOCABULARY INDEX
生词索引
生詞索引

This vocabulary index is arranged in alphabetical order by *pinyin*. Homonyms appear in the order of their tonal pronunciation (i.e., first tones first, second tones second, third tones third, fourth tones fourth, and neutral tones last).

SIMPLIFIED CHARACTERS	TRADITIONAL CHARACTERS	PINYIN	PART OF SPEECH	ENGLISH DEFINITION	STORY NUMBER
A					
爱戴	愛戴	àidài	v.	to love and esteem	10
爱憎分明	愛憎分明	àizēng fēnming	expr.	clear about what to love and what to hate	10
按倒	按倒	àndǎo	vc.	to pin to the ground	11
敖来国	敖來國	Aóláiguó	pn.	(name of a fictional country)	7
B					
拔起来	拔起來	bá qǐlái	vc.	to pull up	2
拔腿	拔腿	bátuǐ	vo.	to depart quickly	2
霸占	霸占	bàzhàn	v.	to forcibly occupy	10
白跟一趟	白跟一趟	báigēn yī tàng	expr.	to run a fruitless errand	3
白虎节堂	白虎節堂	Báihǔ Jiétáng	pn.	White Tiger Hall	11
摆开马步	擺開馬步	bǎikāi mǎbù	expr.	to assume the horse stance (in martial arts, as if ready to fight)	3

SIMPLIFIED CHARACTERS	TRADITIONAL CHARACTERS	PINYIN	PART OF SPEECH	ENGLISH DEFINITION	STORY NUMBER
百里闻名	百里聞名	bǎilǐ wénmíng	expr.	known far and wide	3
拜访	拜訪	bàifǎng	v.	to visit	8
拜他为师	拜他為師	bài tā wéi shī	expr.	to acknowledge sb. as one's master	7
拜他为王	拜他為王	bài tā wéi wáng	expr.	to crown sb. as king	7
帮工	幫工	bānggōng	n.	helper	1
绑起来	綁起來	bǎng qǐlái	vc.	to tie up	6
包围	包圍	bāowéi	v.	to surround	9
抱负	抱負	bàofù	n.	aspiration	3
报复	報復	bàofù	v.	to retaliate	1
爆竹	爆竹	bàozhú	n.	firecrackers	3
卑贱	卑賤	bēijiàn	adj.	lowly	5
悲剧	悲劇	bēijù	n.	tragedy	12
北宋	北宋	Běi Sòng	pn.	Northern Song (dynasty)	10
本事	本事	běnshi	n.	skills, abilities	8
逼着	逼著	bīzhe	v.	to force	11
弼马温	弼馬溫	Bìmǎwēn	pn.	Officer of Horses	8
辫子	辮子	biànzi	n.	braids	2

SIMPLIFIED CHARACTERS	TRADITIONAL CHARACTERS	PINYIN	PART OF SPEECH	ENGLISH DEFINITION	STORY NUMBER
表扬	表揚	biǎoyáng	n./v.	(to) praise	8
彬彬有礼	彬彬有禮	bīnbīn yǒu lǐ	expr.	well-mannered	5
捕获	捕獲	bǔhuò	vc.	to capture	10
不甘心	不甘心	bù gānxīn	v.	to not be reconciled to	11
不可开交	不可開交	bùkě kāijiāo	expr.	in a titanic struggle for sth.	8
不愧	不愧	bùkuì	v.	to deserve, to be worthy of	5
步履艰难	步履艱難	bùlǚ jiānnán	expr.	to walk with difficulty	11
不免	不免	bùmiǎn	adv.	unable to avoid doing sth.	3
不像样	不像樣	bù xiàngyàng	adj.	indecent	1
不由地	不由地	bùyóu de	adv.	uncontrollably	3
不由得	不由得	bùyóu de	adv.	to not be able to help (from doing sth.)	3
布阵排兵	布陣排兵	bùzhèn páibīng	expr.	to marshal soldiers in rank for battle	10
不准	不准	bùzhǔn	v.	to forbid	2

C

才智	才智	cáizhì	n.	intelligence and talent	10
惭愧	慚愧	cánkuì	adj.	ashamed	3
惨	慘	cǎn	adj.	miserable	5

SIMPLIFIED CHARACTERS	TRADITIONAL CHARACTERS	PINYIN	PART OF SPEECH	ENGLISH DEFINITION	STORY NUMBER
沧州	滄州	Cāngzhōu	pn.	(name of a place)	11
策略	策略	cèlüè	n.	tactics and strategies	10
差官	差官	chāiguān	n.	official who dispatches criminals	11
柴进	柴進	Chái Jìn	pn.	(name of a person)	10
掺入	掺入	chānrù	vc.	to mix with, to incorporate	12
缠脚	纏脚	chánjiǎo	vo.	to bind one's feet	5
长凳	長凳	chángdèng	n.	long bench	2
偿还	償還	chánghuán	v.	to repay	11
长生不老	長生不老	chángshēng bù lǎo	v./adj.	(to become) immortal	7
朝野	朝野	cháoyě	n.	the government and the public	12
吵架	吵架	chǎojià	vo.	to quarrel	1
扯断	扯斷	chěduàn	vc.	to pull apart	11
撑船	撑船	chēngchuán	vo.	to pole a boat	1
称呼	稱呼	chēnghu	n.	the way in which one is addressed	3
撑天	撑天	chēngtiān	vo.	to support the sky	9
称王称霸	稱王稱霸	chēngwáng chēngbà	expr.	to lord over	11
乘船	乘船	chéngchuán	vo.	to ride a boat	6

SIMPLIFIED CHARACTERS	TRADITIONAL CHARACTERS	PINYIN	PART OF SPEECH	ENGLISH DEFINITION	STORY NUMBER
惩罚	懲罰	chéngfá	v.	to punish	8
成群结伙	成群結夥	chéngqún jiéhuǒ	expr.	in groups, in large numbers	12
吃醋	吃醋	chīcù	vo.	to get jealous	11
吃官司	吃官司	chī guānsi	vo.	to get into trouble with the law, to serve a jail term	11
赤手空拳	赤手空拳	chìshǒu kōngquán	expr.	unarmed, without weapons	12
冲出	沖出	chōngchū	vc.	to rush out	3
舂米	舂米	chōngmǐ	vo.	to husk rice with a mortar and pestle	1
出家	出家	chūjiā	vo.	to become a monk or nun	12
出气	出氣	chūqì	vo.	to vent one's anger	2
处	處	chù	mw.	(measure word for places)	1
畜生	畜生	chùsheng	n.	domestic animal	1
传遍	傳遍	chuánbiàn	vc.	to spread throughout	3
闯下了大祸	闖下了大禍	chuǎngxià le dàhuò	vo.	to get into serious trouble	8
吹了口气	吹了口氣	chuīle kǒuqì	vo.	to blow	8
吹牛	吹牛	chuīniú	vo.	to brag	8
此刻	此刻	cǐkè	n.	this moment	3
匆匆	匆匆	cōngcōng	adv.	hastily	11

SIMPLIFIED CHARACTERS	TRADITIONAL CHARACTERS	PINYIN	PART OF SPEECH	ENGLISH DEFINITION	STORY NUMBER
从实招来	從實招來	cóngshí zhāolái	expr.	to give a factual admission	3
粗	粗	cū	adj.	coarse	6
簇拥	簇擁	cùyōng	v.	to cluster around	12
窜出	竄出	cuànchū	vc.	to scurry out	12

D

SIMPLIFIED CHARACTERS	TRADITIONAL CHARACTERS	PINYIN	PART OF SPEECH	ENGLISH DEFINITION	STORY NUMBER
打扮	打扮	dǎbàn	v.	to dress up	2
打抱不平	打抱不平	dǎbào bùpíng	expr.	to help victims of injustice	10
打定	打定	dǎdìng	vc.	to make up (one's mind)	2
打个赌	打個賭	dǎ ge dǔ	vo.	to make a bet	9
打中	打中	dǎzhòng	vc.	to hit the target	9
打坐	打坐	dǎzuò	v.	to meditate	12
大发雷霆	大發雷霆	dàfā léitíng	expr.	to be furious	8
大功告成	大功告成	dàgōng gàochéng	expr.	to win triumphantly	12
弹弓	彈弓	dàngōng	n.	slingshot	9
淡水	淡水	dànshuǐ	n.	fresh water	4
挡住	擋住	dǎngzhù	vc.	to block off	11
刀枪不入	刀槍不入	dāoqiāng bùrù	expr.	able to withstand daggers and gunshots	9

SIMPLIFIED CHARACTERS	TRADITIONAL CHARACTERS	PINYIN	PART OF SPEECH	ENGLISH DEFINITION	STORY NUMBER
倒霉	倒霉	dǎoméi	adj.	unlucky, unfortunate	2
到此一游	到此一遊	dàocǐ yīyóu	expr.	to pay a visit	9
到底	到底	dàodǐ	adv.	after all	1
稻穗	稻穗	dàosuì	n.	rice plant	4
得意	得意	déyì	v./adj.	(to be) pleased with oneself	2
得意洋洋	得意洋洋	déyì yángyáng	expr.	to be immensely proud of oneself, to be complacent	3
瞪着	瞪著	dèngzhe	v.	to glare at	1
底细	底細	dǐxì	n.	exact details	3
抵押	抵押	dǐyā	v.	to pawn	2
地保	地保	dìbǎo	n.	village head	2
东张西望	東張西望	dōngzhāng xīwàng	expr.	to glance this way and that	8
动手动脚	動手動脚	dòngshǒu dòngjiǎo	expr.	to touch, to flirt	2
抖	抖	dǒu	v.	to tremble	3
毒药	毒藥	dúyào	n.	poison	12
赌博	賭博	dǔbó	v.	to gamble	1
度日如年	度日如年	dù rì rú nián	expr.	(because of anxiety or worries) days feel like years	6

SIMPLIFIED CHARACTERS	TRADITIONAL CHARACTERS	PINYIN	PART OF SPEECH	ENGLISH DEFINITION	STORY NUMBER
废话少说	廢話少說	fèihuà shǎoshuō	expr.	no nonsense	12
分不出胜负	分不出勝負	fēnbuchū shèngfù	expr.	hard to decide the winner	9
吩咐	吩咐	fēnfù	v.	to command	12
愤怒	憤怒	fènnù	adj.	angry	11
封	封	fēng	v.	to grant, to confer	8
风俗习惯	風俗習慣	fēngsú xíguàn	n.	customs and habits	5
奉命	奉命	fèngmìng	vo.	to follow orders, to carry out orders	10
服劳役	服勞役	fú láoyì	vo.	to serve terms in prison	11
俘虏	俘虜	fúlǔ	n.	captive	3
扶起	扶起	fúqǐ	vc.	to support with one's hand	11
伏下身	伏下身	fúxià shēn	vo.	to bend down	3
服装	服裝	fúzhuāng	n.	costume, clothing	6
负担	負擔	fùdān	v.	to shoulder the costs	2

G

该当何罪	該當何罪	gāidāng hé zuì	expr.	What punishment do you think you deserve?	11

SIMPLIFIED CHARACTERS	TRADITIONAL CHARACTERS	PINYIN	PART OF SPEECH	ENGLISH DEFINITION	STORY NUMBER
甘醇甜美	甘醇甜美	gānchún tiánměi	adj.	sweet and pleasant	12
干儿子	乾兒子	gān érzi	n.	adopted son	11
干净整洁	乾淨整潔	gānjìng zhěngjié	adj.	clean and tidy	5
敢	敢	gǎn	v.	to dare	1
感受	感受	gǎnshòu	v.	to feel and experience	7
感叹	感嘆	gǎntàn	v.	to exclaim	5
高尚的	高尚的	gāoshàng de	adj.	noble	1
高衙内	高衙內	Gāo Yánèi	pn.	(name of a person)	11
胳臂	胳臂	gēbei	n.	arm	8
割麦	割麥	gēmài	vo.	to harvest wheat	1
恭敬	恭敬	gōngjìng	v.	to show respect	3
鼓足勇气	鼓足勇氣	gǔzú yǒngqì	vo.	to build up courage	3
固定	固定	gùdìng	adj.	fixed, unchangeable	5
挂念	掛念	guàniàn	v.	to miss, to worry about	12
观音菩萨	觀音菩薩	Guānyīn Púsà	pn.	Bodhisattva Guanyin	9
光溜溜	光溜溜	guāng liūliū	adj.	smooth	12
光天化日	光天化日	guāngtiān huàrì	n.	broad daylight	11

SIMPLIFIED CHARACTERS	TRADITIONAL CHARACTERS	PINYIN	PART OF SPEECH	ENGLISH DEFINITION	STORY NUMBER
闺中	閨中	guīzhōng	n.	lady's chambers	3
滚出	滾出	gǔnchū	vc.	to roll out	2
滚烫的	滾燙的	gǔntàng de	adj.	boiling hot	11

H

鼾声	鼾聲	hānshēng	n.	sound of snoring	3
航行	航行	hángxíng	v.	to sail	5
嗥叫	嗥叫	háojiào	v.	to bark, to howl	2
喝醉	喝醉	hēzuì	vc.	to be drunk	1
河北田虎	河北田虎	Héběi Tián Hǔ	pn.	Tian Hu of Hebei	12
河埠头	河埠頭	hé bùtóu	n.	pier	3
何况	何況	hékuàng	conj.	much less, let alone	11
黑油油	黑油油	hēi yóuyóu	adj.	shining black	6
横肉	橫肉	héngròu	n.	ferociousness of appearance	3
轰轰烈烈	轟轟烈烈	hōnghōng lièliè	adj.	vigorous, large-scale	12
红柱子	紅柱子	hóng zhùzi	n.	red pillar	9
呼风唤雨	呼風喚雨	hūfēng huànyǔ	expr.	to summon wind and rain, to employ magical powers	10
糊里糊涂	糊裡糊塗	húli hútu	adj.	confused, ill-informed	3

SIMPLIFIED CHARACTERS	TRADITIONAL CHARACTERS	PINYIN	PART OF SPEECH	ENGLISH DEFINITION	STORY NUMBER
胡说	胡說	húshuō	v.	to talk nonsense	1
胡子	鬍子	húzi	n.	beard	6
扈家庄	扈家莊	Hù jiāzhuāng	pn.	Hu village	10
扈三娘	扈三娘	Hù Sānniáng	pn.	(name of a person)	10
花果山	花果山	Huāguǒ Shān	pn.	The Mountain of Flowers and Fruit	7
画押	畫押	huàyā	v.	to give one's signature	3
淮西王庆	淮西王慶	Huáixī Wáng Qìng	pn.	Wang Qing of Huaixi	12
还债	還債	huánzhài	vo.	to repay a debt	11
慌忙	慌忙	huāngmáng	adv.	in a great hurry	3
慌张地	慌張地	huāng zhāng de	adv.	in a flurry	2
惶恐	惶恐	huángkǒng	adj.	terrified	3
灰烬	灰燼	huījìn	n.	ashes	9
挥舞	揮舞	huīwǔ	v.	to brandish, to wave	9
徽宗皇帝	徽宗皇帝	Huīzōng Huángdì	pn.	Emperor Huizong	12
回归朝廷	回歸朝廷	huíguī cháotíng	vo.	to return to serve the royal government	12
混	混	hùn	v.	to kill time	3
伙计	夥計	huǒji	n.	store clerk	11

SIMPLIFIED CHARACTERS	TRADITIONAL CHARACTERS	PINYIN	PART OF SPEECH	ENGLISH DEFINITION	STORY NUMBER
火冒三丈	火冒三丈	huǒmào sānzhàng	expr.	to fly into a rage	11
火眼金睛	火眼金睛	huǒyǎn jīnjīng	n.	fiery eyes and golden pupils	9
货物	貨物	huòwù	n.	goods, merchandise	5
J					
机关枪	機關槍	jīguān qiāng	n.	machine gun	3
寄存	寄存	jìcún	v.	to deposit	3
既然如此	既然如此	jìrán rúcǐ	expr.	since it is so, now that	8
记叙	記叙	jìxù	v.	to narrate	10
家务	家務	jiāwù	n.	housework	5
夹袄	夾襖	jiá'ǎo	n.	lined jacket	3
假洋鬼子	假洋鬼子	jiǎ yángguǐzi	n.	fake foreign devil	2
假装	假裝	jiǎzhuāng	v.	to pretend, to feign	1
价廉物美	價廉物美	jiàlián wùměi	expr.	quality goods at a low price	3
监狱	監獄	jiānyù	n.	prison	10
剪掉	剪掉	jiǎndiào	vc.	to cut off	2
捡起	撿起	jiǎnqǐ	vc.	to pick up	2

SIMPLIFIED CHARACTERS	TRADITIONAL CHARACTERS	PINYIN	PART OF SPEECH	ENGLISH DEFINITION	STORY NUMBER
见多识广	見多識廣	jiànduō shíguǎng	expr.	well-read and well-informed	4
见识	見識	jiànshi	n.	knowledge and experience	4
江南方腊	江南方臘	Jiāngnán Fāng Là	pn.	Fang La of Jiangnan	12
教头	教頭	jiàotóu	n.	military instructor in ancient China	11
轿子	轎子	jiàozi	n.	sedan chair	12
接受	接受	jiēshòu	v.	to receive	12
结伴玩耍	結伴玩耍	jiébàn wánshuǎ	v.	to play in the company of	7
劫富济贫	劫富濟貧	jiéfù jìpín	expr.	to rob the rich and help the poor	10
节约	節約	jiéyuē	v.	to be frugal	5
禁不住	禁不住	jīnbuzhù	vc.	to be unable to refrain from sth.	3
金刚圈	金剛圈	jīngāng quān	n.	diamond ring (a type of weapon)	9
金星大仙	金星大仙	Jīnxīng Dàxiān	pn.	the Great Immortal Jinxing	8
进洞	進洞	jìndòng	vo.	to get into a cave	3
禁军	禁軍	jìnjūn	n.	imperial guards	11
精光	精光	jīngguāng	adj.	with nothing left	1
兢兢业业	兢兢業業	jīngjīng yèyè	adj.	cautious and conscientious	8

SIMPLIFIED CHARACTERS	TRADITIONAL CHARACTERS	PINYIN	PART OF SPEECH	ENGLISH DEFINITION	STORY NUMBER
精神胜利法	精神勝利法	jīngshén shènglì fǎ	expr.	method of self-deception	1
精卫	精衛	Jīngwèi	pn.	(name of a person and celestial bird)	4
静修庵	靜修庵	Jìngxiū Ān	pn.	Jingxiu Convent	2
究竟	究竟	jiūjìng	adv.	actually, after all	8
酒保	酒保	jiǔbǎo	n.	attendant, waiter	11
酒缸	酒缸	jiǔgāng	n.	wine jar	12
酒醒	酒醒	jiǔxǐng	v.	to awake from a drunken stupor	8
救危扶困	救危扶困	jiùwēi fúkùn	expr.	to rescue those in danger and help those in need	10
举人	舉人	jǔrén	n.	scholar who has passed the civil examination at the provincial level	3
巨灵神	巨靈神	Jùlíng Shén	pn.	(name of a god)	8
绝不背叛	絕不背叛	juébù bèipàn	expr.	to never betray	10
军师	軍師	jūnshī	n.	military counselor	10
君子	君子	jūnzǐ	n.	person of noble character	4

K

开天辟地	開天闢地	kāitiān pìdì	expr.	the split of heaven and earth, the beginning of time	7

SIMPLIFIED CHARACTERS	TRADITIONAL CHARACTERS	PINYIN	PART OF SPEECH	ENGLISH DEFINITION	STORY NUMBER
看得入迷	看得入迷	kàn de rùmí	vc.	to be fascinated	4
看中	看中	kànzhòng	vc.	to have a preference for, to fancy	6
慷慨救助	慷慨救助	kāngkǎi jiùzhù	expr.	to generously help	11
抗争	抗爭	kàngzhēng	v.	to resist, to struggle against	10
渴望	渴望	kěwàng	v.	to thirst for, to long for	12
口风	口風	kǒufēng	n.	intentions as revealed by speech	3
叩头	叩頭	kòutóu	vo.	to kowtow, to bow	11
苦闷	苦悶	kǔmèn	n.	torture, anguish	3
裤带	褲帶	kùdài	n.	belt	2
夸奖	誇獎	kuājiǎng	v.	to praise	1
跨上	跨上	kuàshàng	vc.	to step up	2
狂妄	狂妄	kuángwàng	adj.	full of conceit, arrogant	8
盔甲	盔甲	kuījiǎ	n.	armor	8

L

赖	賴	lài	v.	to rely on	1
癞疮疤	癩瘡疤	làichuāng bā	n.	unpleasant skin disease, scar	1

SIMPLIFIED CHARACTERS	TRADITIONAL CHARACTERS	PINYIN	PART OF SPEECH	ENGLISH DEFINITION	STORY NUMBER
拦住	攔住	lánzhù	vc.	to stop	11
懒洋洋	懶洋洋	lǎn yángyáng	adv.	lazily	3
唠叨	嘮叨	láodao	v.	to nag	2
牢房	牢房	láofáng	n.	jail cell	3
牢里	牢裡	láolǐ	adv.	in prison	11
老把总	老把總	lǎo bǎzǒng	n.	army chief in the Qing dynasty	3
老鹰	老鷹	lǎoyīng	n.	eagle	9
老子	老子	lǎozi	n.	father	1
冷落	冷落	lěngluò	v.	to ignore	3
愣住	愣住	lèngzhù	vc.	to be dumbfounded	2
理会	理會	lǐhuì	v.	to pay attention to	3
历险记	歷險記	lìxiǎn jì	n.	adventure story	6
连夜	連夜	liányè	adv.	through the night	3
炼丹炉	煉丹爐	liàndān lú	n.	oven to make pills of immortality	9
两眼发黑	兩眼發黑	liǎngyǎn fāhēi	expr.	to black out	3
辽兵	遼兵	Liáo bīng	n.	troops from the state of Liao	12
临时	臨時	línshi	adj.	temporary	1
林之洋	林之洋	Lín Zhíyáng	pn.	(name of a person)	4

SIMPLIFIED CHARACTERS	TRADITIONAL CHARACTERS	PINYIN	PART OF SPEECH	ENGLISH DEFINITION	STORY NUMBER
猛吼	猛吼	měnghǒu	v.	to roar ferociously	12
迷雾	迷霧	míwù	n.	dense fog	11
免去	免去	miǎnqù	vc.	to be stripped of	11
名副其实	名副其實	mingfù qishí	expr.	worthy of the name	5
摸过	摸過	mōguò	vc.	to have touched	2
末年	末年	mònián	n.	the final years (of sth.)	1
目瞪口呆	目瞪口呆	mùdèng kǒudāi	expr.	stunned and speechless	12
木禾	木禾	mùhé	n.	standing grain, rice	4

N

难怪	難怪	nánguài	expr.	no wonder	2
哪吒	哪吒	Nézhā	pn.	(name of King Li's son)	8
能干	能幹	nénggàn	adj.	capable	1
尼姑	尼姑	nígū	n.	nun	2
念佛	念佛	niànfó	vo.	to recite Buddhist prayers	2
鸟兽虫鱼	鳥獸蟲魚	niǎoshòu chóngyú	expr.	birds, beasts, insects, and fish	4
捏	捏	niē	v.	to pinch	3
蹑空草	躡空草	nièkōng cǎo	n.	a grass that enables one to float in the air after eating it	4

SIMPLIFIED CHARACTERS	TRADITIONAL CHARACTERS	PINYIN	PART OF SPEECH	ENGLISH DEFINITION	STORY NUMBER
扭了一下	扭了一下	niǔ le yīxià	vc.	to give a pinch	2
怒目而视	怒目而視	nù mù ér shì	expr.	to look angrily at	3

P

SIMPLIFIED CHARACTERS	TRADITIONAL CHARACTERS	PINYIN	PART OF SPEECH	ENGLISH DEFINITION	STORY NUMBER
盘	盤	pán	v.	to coil, to twine	3
磐石	磐石	pánshí	n.	boulder	7
蟠桃胜会	蟠桃勝會	Pántáo Shènghuì	pn.	the Grand Festival of Flat Peaches	8
蟠桃园	蟠桃園	Pántáo Yuán	pn.	Garden of Flat Peaches	8
判	判	pàn	v.	to sentence	11
赔罪	賠罪	péizuì	vo.	to apologize	2
配	配	pèi	v.	to fit, to deserve	1
披	披	pī	v.	to wrap around	3
披花带彩	披花帶彩	pīhuā dàicǎi	expr.	to wear flowers and colorful victory garlands	12
劈劈啪啪	劈劈啪啪	pīpī pāpā	on.	(sound of crackling)	11
皮背心	皮背心	pí bèixīn	n.	leather vest	3
屁股	屁股	pìgu	n.	buttocks, bottom	6
偏僻的	偏僻的	piānpì de	adj.	remote	11

SIMPLIFIED CHARACTERS	TRADITIONAL CHARACTERS	PINYIN	PART OF SPEECH	ENGLISH DEFINITION	STORY NUMBER
漂流	漂流	piāoliú	v.	to drift	4
飘扬	飄揚	piāoyáng	v.	to flutter in the wind	8
拼命	拼命	pīnmìng	vo.	to strive, to be desperate for	6
品尝	品嘗	pǐncháng	v.	to taste	8
品德言行	品德言行	pǐndé yánxing	n.	character and conduct	5
平定	平定	píngdìng	v.	to suppress	12
平生	平生	píngshēng	n.	all one's life	3
破烂	破爛	pòlàn	adj.	in poor condition, ruined	11
破锣	破鑼	pòluó	n.	broken gong	6
迫使	迫使	pòshǐ	v.	to force	12
铺	鋪	pū	v.	to spread	3
扑向	撲向	pūxiàng	vc.	to lunge at	12
瀑布	瀑布	pùbù	n.	waterfall	7
Q					
欺负	欺負	qīfu	v.	to bully	12
漆黑	漆黑	qīhēi	adj.	pitch black	3

SIMPLIFIED CHARACTERS	TRADITIONAL CHARACTERS	PINYIN	PART OF SPEECH	ENGLISH DEFINITION	STORY NUMBER
七七	七七	qīqī	n.	seven sevens*	9
七十二变	七十二變	qīshíèr biàn	n.	seventy-two transformations	7
欺压	欺壓	qīyā	v.	to bully	10
畦	畦	qí	mw.	(measure word for land)	2
旗杆	旗桿	qígān	n.	flagpole	8
旗号	旗號	qíhào	n.	flag	12
齐天大圣	齊天大聖	Qítiān Dàshèng	pn.	Great Sage Equal to Heaven	8
岂不是	豈不是	qǐbushì	expr.	isn't/doesn't...?	3
乞丐	乞丐	qǐgài	n.	beggar	5
起劲	起勁	qǐjìn	adv.	energetically, enthusiastically	11
起义	起義	qǐyì	n.	revolt, uprising	10
气喘吁吁	气喘吁吁	qìchuǎn xūxū	expr.	out of breath	3
谦虚	謙虛	qiānxū	adj.	modest	5
枪毙	槍斃	qiāngbì	v.	to execute by firing squad	3
怯怯地	怯怯地	qièqiè de	adv.	timidly, fearfully	3

*According to Chinese tradition, one funerary ceremony is to be held every seven days, spanning over a total of forty-nine days.

SIMPLIFIED CHARACTERS	TRADITIONAL CHARACTERS	PINYIN	PART OF SPEECH	ENGLISH DEFINITION	STORY NUMBER
钦佩	欽佩	qīnpèi	v.	to admire	12
请道士	請道士	qǐng Dàoshi	vo.	to call in a Daoist priest	2
驱鬼	驅鬼	qūguǐ	vo.	to chase away evil spirits	2
权势	權勢	quánshì	n.	authority and influence	11
泉水	泉水	quánshuǐ	n.	spring water	7
劝阻	勸阻	quànzǔ	v.	to advise against doing sth.	11
缺点	缺點	quēdiǎn	n.	shortcomings	1
缺少	缺少	quēshǎo	v.	to lack, to be short of	5
裙子	裙子	qúnzi	n.	dress	5

R

仁义	仁義	rényì	n.	benevolence and righteousness	10
忍不住	忍不住	rěnbuzhù	vc.	not be able to help (from doing sth.)	6
如虎添翼	如虎添翼	rúhǔ tiānyì	expr.	like a tiger with wings, greatly reinforced	8
如来佛	如來佛	Rúlái Fó	pn.	Tathagata Buddha	9
如意金箍棒	如意金箍棒	rúyì jīngū bàng	n.	the will-following golden-banded staff	8

S

骚扰	騷擾	sāorǎo	v.	to harass	11
山东及时雨	山東及時雨	Shāndōng jíshí yǔ	pn.	Timely Rain in Shandong (a nickname)	10

SIMPLIFIED CHARACTERS	TRADITIONAL CHARACTERS	PINYIN	PART OF SPEECH	ENGLISH DEFINITION	STORY NUMBER
山涧	山澗	shānjiàn	n.	mountain stream	7
山坡	山坡	shānpō	n.	hillside	4
商讨军机	商討軍機	shāngtǎo jūnjī	vo.	to discuss military plans	11
赏钱	賞錢	shǎngqián	n.	monetary reward	12
上任	上任	shàngrèn	vo.	to take office	8
上香还愿	上香還願	shàngxiāng huányuàn	expr.	to burn incense to redeem for one's prayers	11
哨棒	哨棒	shàobàng	n.	stick	12
赊账	賒賬	shēzhàng	vo.	to buy on credit	2
伸出	伸出	shēnchū	vc.	to stretch out	3
伸开	伸開	shēnkāi	vc.	to stretch out	9
伸张正义	伸張正義	shēnzhāng zhèngyì	vo.	to enforce justice	12
神往	神往	shénwǎng	v.	to yearn for	3
失火	失火	shīhuǒ	vo.	to catch on fire	11
石盆	石盆	shípén	n.	stone basin	7
时迁	時遷	Shí Qiān	pn.	(name of a person)	10
使尽	使盡	shǐjìn	vc.	to exert fully	3
使劲	使勁	shǐjìn	vo.	to exert all one's strength	12

SIMPLIFIED CHARACTERS	TRADITIONAL CHARACTERS	PINYIN	PART OF SPEECH	ENGLISH DEFINITION	STORY NUMBER
使女	使女	shǐnǔ	n.	female servant	11
使眼色	使眼色	shǐ yǎnsè	vo.	to wink at	3
世道	世道	shìdào	n.	manners and morals of the time	1
是否	是否	shìfǒu	adv.	if, whether or not	3
事迹	事蹟	shìjì	n.	deeds, achievements	10
示众	示眾	shìzhòng	vo.	to expose for public scorn	3
收服	收服	shōufú	v.	to conquer	11
手掌心	手掌心	shǒuzhǎng xīn	n.	center of the palm	9
受命	受命	shòumìng	v.	to receive orders	12
瘦小	瘦小	shòuxiǎo	adj.	skinny and small	6
梳子	梳子	shūzi	n.	comb	5
熟透	熟透	shútòu	vc.	to ripen	8
树林	樹林	shùlín	n.	woods, forest	4
竖起	竪起	shùqǐ	vc.	to put up	8
耍赖	耍賴	shuǎlài	v.	to deny shamelessly	9
摔跤相扑	摔跤相撲	shuāijiāo xiàngpū	n.	wrestling	10
摔了一跤	摔了一跤	shuāile yìjiāo	vo.	to slip and fall	9

SIMPLIFIED CHARACTERS	TRADITIONAL CHARACTERS	PINYIN	PART OF SPEECH	ENGLISH DEFINITION	STORY NUMBER
率领	率領	shuàilǐng	v.	to lead, to command	10
爽快地	爽快地	shuǎngkuài de	adv.	straight-forwardly, outright	3
水火不进	水火不進	shuǐhuǒ bùjìn	expr.	able to withstand water and fire	9
水帘洞	水簾洞	Shuǐlián Dòng	pn.	Cave of Water Curtains	7
水手	水手	shuǐshǒu	n.	sailor	4
睡眼朦胧	睡眼朦朧	shuìyǎn ménglóng	expr.	sleepy, drowsy	3
顺天	順天	shùntiān	vo.	to follow the Mandate of Heaven	12
似乎	似乎	sìhū	v.	to seem	2
似笑非笑	似笑非笑	sìxiào fēixiào	expr.	fake smile	3
松树	松樹	sōngshù	n.	pine tree	4
肃然起敬	肅然起敬	sùrán qǐjìng	expr.	to show deep respect for	3
算	算	suàn	v.	to regard as, to count	1
孙悟空	孫悟空	Sūn Wùkōng	pn.	(name of the Monkey King)	7
损失惨重	損失慘重	sǔnshī cǎnzhòng	vc.	to suffer heavy losses	12

SIMPLIFIED CHARACTERS	TRADITIONAL CHARACTERS	PINYIN	PART OF SPEECH	ENGLISH DEFINITION	STORY NUMBER
T					
抬起脚	擡起脚	táiqǐ jiǎo	vo.	to raise one's feet	4
太白金星	太白金星	Tàibái Jīnxīng	pn.	(name of The Great Immortal Jinxing)	8
太上老君	太上老君	Tàishàng Lǎojūn	pn.	(title of respect for Taoist deity associated with Laozi)	8
太守	太守	tàishǒu	n.	governor of a province	11
太尉	太尉	tàiwèi	n.	captain	11
贪财	貪財	tāncái	vo.	to be greedy	12
瘫痪	癱瘓	tānhuàn	v.	to be paralyzed	12
袒开	袒開	tǎnkāi	vc.	to uncover, to unbutton	12
忐忑	忐忑	tǎntè	adj.	worrisome, anxious	3
唐敖	唐敖	Táng Áo	pn.	(name of a person)	4
堂倌	堂倌	tángguān	n.	waiter	3
讨回公道	討回公道	tǎohuí gōngdào	vo.	to claim justice	11
讨价还价	討價還價	tǎojià huánjià	expr.	to bargain	5
腾空	騰空	téngkōng	vc.	to soar up	12
提辖	提轄	tíxiá	n.	(name of an official title in ancient China)	11
剃胡子	剃鬍子	tì húzi	vo.	to shave one's beard	6

SIMPLIFIED CHARACTERS	TRADITIONAL CHARACTERS	PINYIN	PART OF SPEECH	ENGLISH DEFINITION	STORY NUMBER
替天行道	替天行道	tìtiān xíngdào	expr.	to right wrongs in accordance with Heaven's Decree	12
剃着光头	剃著光頭	tìzhe guāngtóu	vo.	to shave one's head bald	3
铁禅杖	鐵禪杖	tiě chánzhàng	n.	Buddhist monk's iron staff	11
投靠	投靠	tóukào	v.	to seek refuge with	3
投降	投降	tóuxiáng	v.	to surrender	8
透瓶香	透瓶香	tòupíng xiāng	n.	wine with a scent that penetrates the bottle	12
涂	塗	tú	v.	to put on (makeup)	6
屠夫	屠夫	túfū	n.	butcher	11
涂胭脂	塗胭脂	tú yānzhī	vo.	to put on lipstick and rouge	6
涂脂抹粉	塗脂抹粉	túzhī mǒfěn	vo.	to put on rouge, to doll up	5
途中	途中	túzhōng	adv.	on one's way to, en route	12
土谷祠	土穀祠	Tǔgǔ Cí	pn.	Tugu Temple	1
推而广之	推而廣之	tuī ér guǎng zhī	expr.	in the same way, likewise	1
推下	推下	tuīxià	vc.	to push down	9
拖	拖	tuō	v.	to drag	12

SIMPLIFIED CHARACTERS	TRADITIONAL CHARACTERS	PINYIN	PART OF SPEECH	ENGLISH DEFINITION	STORY NUMBER
托塔李天王	托塔李天王	Tuōtǎ Lǐ Tiānwáng	pn.	Heavenly King Li with a pagoda in his hand	8
妥协	妥協	tuǒxié	v.	to compromise	12

W

歪歪倒倒	歪歪倒倒	wāiwāi dǎodǎo	v.	to stagger	12
歪着头	歪著頭	wāizhe tóu	vo.	to tilt one's head	3
碗碟	碗碟	wǎndié	n.	bowls and plates	2
晚霞	晚霞	wǎnxiá	n.	sunset glow	12
王后	王后	wánghòu	n.	queen	6
为所欲为	為所欲為	wéi suǒ yù wéi	expr.	to do as one pleases	10
委屈	委屈	wěiqū	v.	to feel wronged	11
为民除害	為民除害	wèi mín chú hài	expr.	to rid the people of an evil	12
为民做主	為民做主	wèi mín zuò zhǔ	expr.	to support the people	12
未庄	未莊	Wèizhuāng	pn.	Wei village	1
文人	文人	wénrén	n.	scholar	4
嗡嗡	嗡嗡	wēngwēng	on.	hum, buzz	12
诬赖	誣賴	wūlài	v.	to malign	10

SIMPLIFIED CHARACTERS	TRADITIONAL CHARACTERS	PINYIN	PART OF SPEECH	ENGLISH DEFINITION	STORY NUMBER
乌篷船	烏篷船	wūpéng chuán	n.	boat covered (over) with black canvas	3
乌鸦	烏鴉	wūyā	n.	crow	4
屋檐	屋檐	wūyán	n.	eaves	3
无忧无虑	無憂無慮	wúyōu wúlǜ	expr.	carefree and light-hearted	7

X

吸旱烟	吸旱烟	xī hànyān	vo.	to smoke tobacco	2
吓了一跳	嚇了一跳	xiàle yītiào	vc.	to be taken aback	8
下落	下落	xiàluò	n.	whereabouts	6
仙丹	仙丹	xiāndān	n.	pills of immortality	8
嫌	嫌	xián	v.	to feel an aversion to	8
闲人们	閑人們	xiánrénmen	n.	idlers	3
县城	縣城	xiànchéng	n.	county town	3
献出	獻出	xiànchū	vc.	to devote, to sacrifice	10
陷害	陷害	xiànhài	v.	to make false charges against	10
相貌英俊	相貌英俊	xiàngmào yīngjùn	adj.	good-looking	10

SIMPLIFIED CHARACTERS	TRADITIONAL CHARACTERS	PINYIN	PART OF SPEECH	ENGLISH DEFINITION	STORY NUMBER
消瘦	消瘦	xiāoshòu	v.	to become thin	11
消息灵	消息靈	xiāoxi líng	adj.	well-informed	3
小角色	小角色	xiǎo juésè	n.	insignificant role	3
小巷	小巷	xiǎoxiàng	n.	small alley	12
效忠国家	效忠國家	xiàozhōng guójiā	vo.	to be loyal to the country	12
解宝	解寶	Xiè Bǎo	pn.	(name of a person)	10
解珍	解珍	Xiè Zhēn	pn.	(name of a person)	10
心满意足	心滿意足	xīnmǎn yìzú	expr.	to be content, satisfied	1
薪水	薪水	xīnshuǐ	n.	salary	8
新鲜的	新鮮的	xīnxiān de	adj.	fresh	4
兴师动众	興師動眾	xīngshī dòngzhòng	expr.	to mobilize forces	8
兴致勃勃	興致勃勃	xìngzhì bóbó	expr.	full of enthusiasm	5
凶狠无情	凶狠無情	xiōnghěn wúqíng	adj.	fierce and ruthless	10
凶性	凶性	xiōngxìng	n.	fierceness	12
羞愧	羞愧	xiūkuì	adj.	ashamed	3
秀才	秀才	xiùcai	n.	scholar who passed the county-level civil exam	1

SIMPLIFIED CHARACTERS	TRADITIONAL CHARACTERS	PINYIN	PART OF SPEECH	ENGLISH DEFINITION	STORY NUMBER
悬赏	懸賞	xuánshǎng	vo.	to offer a reward	3
绚烂	絢爛	xuànlàn	adj.	splendid, magnificent	12
薛霸	薛霸	Xuē Bà	pn.	(name of a person)	11
学问	學問	xuéwen	n.	education and knowledge	4
寻根究底	尋根究底	xúngēn jiūdǐ	expr.	to get to the bottom of things	3
巡视	巡視	xúnshì	v.	to patrol	8

Y

押送	押送	yāsòng	v.	to send under escort	11
压塌	壓塌	yātā	vc.	to collapse	11
衙门	衙門	yámen	n.	government office in ancient China	3
烟管	烟管	yānguǎn	n.	pipe	2
胭脂	胭脂	yānzhī	n.	rouge	5
沿路	沿路	yánlù	adv.	along the road	2
宴请	宴請	yànqǐng	v.	to invite to a banquet	8
艳遇	艷遇	yànyù	n.	romantic encounter	2
养家	養家	yǎng jiā	vo.	to support the family	5
仰慕已久	仰慕已久	yǎngmù yǐjiǔ	expr.	to admire for a long time	11

SIMPLIFIED CHARACTERS	TRADITIONAL CHARACTERS	PINYIN	PART OF SPEECH	ENGLISH DEFINITION	STORY NUMBER
仰仗	仰仗	yǎngzhàng	v.	to rely on	11
瑶池	瑤池	Yáo Chí	pn.	Jasper Lake	8
摇晃	搖晃	yáohuàng	v.	to shake, to tremble	12
摇身一变	搖身一變	yáoshēn yībiàn	vc.	to suddenly transform oneself	8
一笔勾销	一筆勾銷	yībǐ gōuxiāo	expr.	to write off	3
一伙人	一夥人	yīhuǒ rén	n.	a group of people	3
一声霹雳	一聲霹靂	yīshēng pīlì	n.	a clap of thunder	11
一条缝	一條縫	yītiáo fèng	n.	a crack	3
一团糟	一團糟	yītuán zāo	n.	a mess	9
一无所知	一無所知	yīwú suǒzhī	adj.	ignorant	1
以礼相待	以禮相待	yǐ lǐ xiāng dài	v.	to treat with good manners	12
异样	異樣	yìyàng	adj.	weird	2
阴谋	陰謀	yīnmóu	n.	conspiracy, plot	11
引人入胜	引人入勝	yǐnrén rùshèng	adj.	attractive, enticing	10
迎战	迎戰	yíngzhàn	vo.	to meet an enemy head on	8
应付	應付	yìngfu	v.	to cope with	12

SIMPLIFIED CHARACTERS	TRADITIONAL CHARACTERS	PINYIN	PART OF SPEECH	ENGLISH DEFINITION	STORY NUMBER
涌起	涌起	yǒngqǐ	vc.	to surge up	3
忧愁	憂愁	yōuchóu	n.	sorrow	3
悠闲自在	悠閑自在	yōuxián zìzài	expr.	carefree	8
游街	遊街	yóujiē	vo.	to parade through the streets	3
又蹦又跳	又蹦又跳	yòu bèng yòu tiào	v.	to hop and skip	7
鱼鹰	魚鷹	yúyīng	n.	osprey	9
御酒	禦酒	yùjiǔ	n.	wine bestowed by the emperor	12
郁郁葱葱	鬱鬱葱葱	yùyù cōngcōng	adj.	green and fresh	2
元宝	元寶	yuánbǎo	n.	a gold or silver ingot	3
源头	源頭	yuántóu	n.	source, origin	7
岳庙	岳廟	Yuè Miào	pn.	Yue Temple	11
允许	允許	yǔnxǔ	v.	to permit, to allow	1
孕育	孕育	yùnyù	v.	to be pregnant	7

Z

遭到反对	遭到反對	zāodào fǎnduì	vo.	to encounter opposition	12
遭来误解	遭來誤解	zāolái wùjiě	vo.	to encounter misunder-standing	12
造反	造反	zàofǎn	v.	to rebel, to revolt	2

SIMPLIFIED CHARACTERS	TRADITIONAL CHARACTERS	PINYIN	PART OF SPEECH	ENGLISH DEFINITION	STORY NUMBER
责备	責備	zébèi	v.	to blame	11
赠	贈	zèng	v.	to give a present	12
扎寨	扎寨	zhāzhài	vo.	to pitch camp	11
栅栏	栅欄	zhàlan	n.	fence	3
炸雷	炸雷	zhàléi	n.	clap of thunder	12
毡帽	氈帽	zhānmào	n.	fur hat	2
长辈	長輩	zhǎngbèi	n.	older generation, elder	1
掌柜	掌櫃	zhǎngguì	n.	shopkeeper	3
仗义疏财	仗義疏財	zhàngyì shūcái	expr.	to be generous in aiding the poor	10
招安	招安	zhāoān	vo.	to offer amnesty and enlistment to rebels	12
照办	照辦	zhàobàn	v.	to follow exactly	11
照旧	照舊	zhàojiù	adv.	as usual	3
照例	照例	zhàolì	v.	to do business as usual	3
诏书	詔書	zhàoshū	n.	decree, edict	12
遮丑	遮醜	zhēchǒu	vo.	to hide one's shame	5
折磨	折磨	zhémó	v.	to torture, to persecute	11
侦探	偵探	zhēntàn	n.	detective	3

SIMPLIFIED CHARACTERS	TRADITIONAL CHARACTERS	PINYIN	PART OF SPEECH	ENGLISH DEFINITION	STORY NUMBER
针线	針線	zhēnxiàn	n.	needle and thread	6
震	震	zhèn	v.	to shake, to shock, to vibrate	12
睁开眼睛	睜開眼睛	zhēngkāi yǎnjīng	vo.	to open (one's) eyes	7
争着	爭著	zhēngzhe	v.	to fight for	12
正义	正義	zhèngyì	n.	righteousness, justice	10
知县大老爷	知縣大老爺	zhīxiàn dàlǎoye	n.	county magistrate	3
职业	職業	zhíyè	n.	occupation	1
志向	志向	zhìxiàng	n.	ambition	3
忠孝	忠孝	zhōngxiào	n.	loyalty and filial piety	10
中	中	zhòng	v.	to successfully pass an exam	1
烛	燭	zhú	n.	candle	1
竹板	竹板	zhúbǎn	n.	bamboo plank	6
竹杠	竹杠	zhúgàng	n.	bamboo pole	2
煮	煮	zhǔ	v.	to cook	4
转达	轉達	zhuǎndá	v.	to convey	12
惴惴地	惴惴地	zhuìzhuì de	adv.	anxiously and fearfully	3

SIMPLIFIED CHARACTERS	TRADITIONAL CHARACTERS	PINYIN	PART OF SPEECH	ENGLISH DEFINITION	STORY NUMBER
捉弄	捉弄	zhuōnòng	v.	to make a fool of, to play tricks on	11
啄取	啄取	zhuóqǔ	vc.	to hold in the mouth	4
姿色	姿色	zīsè	n.	good looks (of a woman)	10
紫红	紫紅	zǐhóng	adj.	purplish red	6
总	總	zǒng	adv.	always	3
纵身	縱身	zòngshēn	vo.	to jump, to leap	12
邹七嫂	鄒七嫂	Zōu Qīsǎo	pn.	(name of a person)	3
揍一顿	揍一頓	zòu yīdùn	vc.	to give a beating	11
阻挡	阻擋	zǔdǎng	v.	to stop, to prevent	3
钻进去	鑽進去	zuān jìnqu	vc.	to crawl into	7
嘴馋	嘴饞	zuǐchán	adj.	gluttonous	8
罪犯	罪犯	zuìfàn	n.	criminal	10
醉醺醺	醉醺醺	zuì xūnxūn	adj.	drunken	2
做生意	做生意	zuò shēngyi	vo.	to do business	4

ABOUT THE AUTHORS

Yun Xiao is Professor of Chinese Language and Linguistics at Bryant University. She has a Ph.D. degree in linguistics. Her research interests are second language acquisition and pedagogy, Chinese syntax and discourse analysis, and Chinese teacher education. Her recent publications include more than twenty articles and book chapters. She is the primary author of *Tales and Traditions* (Volumes 1–4) and co-editor of *Teaching Chinese as a Foreign Language: Theories and Applications*.

Hui Faye Xiao is Associate Professor in the Department of East Asian Languages and Cultures at the University of Kansas. Her recent publications have appeared in *Chinese Literature Today*, *Modern Chinese Literature and Culture* (MCLC), *Journal of Chinese Cinemas*, *Journal of Contemporary China*, *Chinese Films in Focus II*, and *Gender and Modernity in Global Youth Cultures*. She is a co-author of Volumes 1, 2, and 4 of *Tales and Traditions*.

Jijun Yu is Associate Professor at China University of Geosciences (CUG) in Wuhan, China. He obtained a B.A. degree in Chinese literature at Peking University in 1990 and an M.A. in civil law at Wuhan University in 2003. He has been teaching Chinese as a second language to international students at CUG since 1992 and conducted research in Chinese language and literature and communication theories. He has authored several publications on Chinese poetry, including works by Tao Yuanming.

Ying Zhang is currently a lecturer of Chinese as a second language at China University of Geosciences. She has over twelve years of second/foreign language teaching experience at the college and grade-school level. She has taught in many Chinese programs in the US, South Asia, and China. She obtained her B.A. in language education at Central China Normal University and M.A. at Wuhan University. Her areas of interest are second language acquisition, instructional design, material development and integrating technology into Chinese teaching, as well as teacher development.